タイムマシンの使い方講座

禁断の時読み®

中野 博
Hiroshi Nakano

未来生活研究所

〈目次〉

はじめに …… vii

第1章　時を味方につければ全てがうまくいく …… 1

時読みは占いではない「学問」である …… 2
なぜ、家康は天下を取れたのか？ …… 5
時読みは事象学 …… 9
「時読み」は人生なり …… 11

第2章　成功者だけが知っている時の魔術 …… 15

なぜ、あの日が起きたのか？ …… 16
リーマンショック　２００８年　戊子　一白　17
バブル崩壊　１９９１年　辛未　九紫　20
新型コロナの流行　２０２０年　庚子　七赤　22
ロシアとウクライナの争い　２０２２年　壬寅　ガイアの五黄　25
天皇陛下の生前退位（平成の終わり）　２０１９年　己亥　山の八白　28
東日本大震災　２０１１年　辛卯　湖の七赤　30
安倍元首相襲撃事件　２０２２年　壬寅　ガイアの五黄　33
２０２３年下半期はどうなる？ …… 35
２０２４年は９年に一度の大激震の年!? …… 38
時を読んで会社と家族を守れ …… 42

第３章　十干と十二支の秘密

第３章　十干と十二支の秘密 …… 45
還暦とは？ …… 46

十干のメッセージ……50
十二支のメッセージ……59

第4章　ナインコードの秘密……67
ナインコードで読み解く未来予想図……68
一白～九紫　各年の傾向　72
2021年～2024年の傾向……107

第5章　バイオリズムの秘密……111
バイオリズムとは？……113
各バイオリズムで気をつけるべきポイント……118
部屋の概念……128
一白の部屋　130
二黒の部屋　136

三碧の部屋　144
風の四緑の部屋　152
ガイアの五黄の部屋　159
天の六白の部屋　166
湖の七赤の部屋　169
山の八白の部屋　174
火の九紫の部屋　180
春夏秋冬＝因縁果報……184
おわりに……193

はじめに

想像してください。今、目の前に高性能な**タイムマシン**があります。

あなたは、「過去」に行きますか？
それとも「未来」に行きますか？

経営者やビジネスマンだったら、未来に行ってまだ来ていないブームを先取りして**投資**をしたり、ビジネスを盛り上げるヒントを未来から得て大きく儲けることができます。

しかし、現実として、タイムマシンなんて世の中にはありません。

では、未来に行くことは絶対に不可能なのでしょうか？
はい、私は未来に行くことはこの先も不可能だと思っています。（未来はいけるよ！と言うと思いましたか？　笑）

本題はここからです。よく聞いてください。

確かに、未来に行ったり、未来の形をそのまま覗くことは不可能です。しかし、**【未来に起きることを限りなく高い精度で予測して、未来に先回りすること】**は誰だって簡単にできることを知っていますか？

そんな、神がかり的なことができるの!?　と驚くかもしれませんが、可能なんです。では、どうやって未来に先回りできるのか？　それは、「**時を味方につける**」ことです。つまり、時の流れを読み解き、時の概念を理解することで、未来の出来事を高い精度をもって予測することができます。

まだ信じられない人もいるでしょう。私も最初そうでした。時を学びはじめたのは22年前でした。占い的なことは大嫌いでしたので、最初は一切信じられませんでした。ところが、学べば学ぶほど、事実ベースで時読みの信憑性が増してきて、今では、時読みなしでは経営ができなくなってしまいました。

例えば、

今、ロシアとウクライナが争っていますが、なぜこのタイミングで起きたのでしょうか？

世界的にコロナが流行ったのは2020年2月からでしたが、なぜ、この年にコロナが流行ったのでしょう？

2022年後半からの世界的な円安。なぜ、2022年後半から起きたのでしょう？

「そんなの偶然でしょ」。そう言う人がほとんどだと思いますが、違います。

時の学問を知っている人が社会の事象を見ると、その年に起きるべくして起きているのです。

分かりやすい例で言えば、２０２０年は**「一つの時代が終わり、一つの時代が始まる」**という時のメッセージがありました。さらには、目に見えない小さなものが爆発して世界中に増えるというメッセージも。そう、これこそがコロナだったのです。

ロシアとウクライナの争いもそう。２０２２年のメッセージは**「破壊と創造」**。破壊的な出来事が世界中で突発し、新しい世界が生まれる礎となる年。それが２０２２年でした。

これは単なる一例に過ぎません。**「時読み学」**を駆使して、社会の出来事を分析すれば、「あ！　この出来事はこの年に起きて当然だな」と理解できます。

よって、**「時読み学」**を未来予測に活かせば、来年に起きることが手にとるようにわかってしまいますし、迫り来るリスクにも備えることが可能になるのです。

そうだ！　今、この本を読んでいる人で、10代や20代の読者はいるでしょうか？　もしいたら、本当に運がいいです。だって、時読みの知恵を持っていれば、今後、進路決定や就職など、大切な意思決定の場で「進むべき道」を間違えることが一切ないからです。

本書では、時読みの大切な概念の一つである**「バイオリズム」**も教えます（第5章）。その通りに動けば、あなたの将来は未来永劫、薔薇色です。バイオリズムを知ると、あなたの9年間の運勢のリズムがわかります。そのリズムに沿って意思決定や行動することで、失敗を未然に防ぐことができ、本当の幸せを手にすることができるでしょう。

きついことを言うかもしれませんが、一つだけ言わせてください。

「いい大学に行って、いいところに就職しなさい」などの、親の言うことを聞いてばかりでは、絶対に幸せな未来は掴めません。つまり、成功者にはなれないのです。なぜなら、親は時の学問を学んでいないからです。

「時」を舐めてはいけません。【時を得るものは栄え、時を失うものは滅ぶ】という古代の偉人が残した言葉があります。

時を味方につければ、人力では考えられないスピードと効力で物事がうまくいくようになります。しかし、時に逆らえば、何をやってもうまくいきません。つまり、努力も無駄になるわけです。

私は、時読みを猛勉強して、その年々で起きることを、かなりの高い精度で予測することができるようになりました。毎年「時読み講座」を11月23日に開催していますが、そこで発表する【10大予測】は、的中確率94％を誇ります。占い師もびっくりの確率ですよね。（笑）

来年（２０２４年）は、時読み的にいえば、「甲辰（きのえたつ）、雷の三碧（さんぺき）」です。雷の一撃にも似た圧倒的な衝撃が起き、波乱の一年になります。雷のように激しい事象が世界各地で起きるのです。

ですから、今から準備しておかないと間に合いません。未来に先回りすることで、豊かさを手に入れることができるでしょう。

時読みは誰しもが自由に学ぶことができ、未来を高い精度で読み解くことができる唯一の手段です。

大丈夫です。何も難しいことはありません。本書では、イラストや豊富な事例を使って、楽しく時読みを学ぶことができます。最後までしっかりと読んでもらえれば、きっとあなたも、時と友達になれること間違いなしです！

時と友達になれれば、あなたの未来は大繁栄ですからね！

さあ、一緒に時読みの世界に出発しましょう！

第1章

時を味方につければ全てがうまくいく

時読みは占いではない「学問」である

「中野先生、時読みって結局は占いみたいなものですか？」

みなさんによく聞かれます。でもこれは全くの勘違いです。

時読みとは、占いではなく、れっきとした学問です。


【易経（えききょう）】というのをご存知でしょうか？

古来中国からある、最古の学問とも呼ばれています。

易の基本哲学は「陽極まれば陰生ず」「陰極まれば陽生ず」です。
冬の盛りに春を招き、夏の頂点が秋を呼ぶ。そんな、陰陽の二気が重なり
頂点になった瞬間、反対の気を生じる。そうして世界は生まれるという概念

となります。

ごめんなさい、小難しい話でしたね。

もっと簡単に噛み砕いて話すと、易経の教えの本質は**「変化に敏感であれ」**ということです。あなたは季節の変わり目を繊細に感じ取れていますか？

現代の日本人は、その忙しさに追いやられ、「変化」を感じ取る力が欠乏しています。変化を見逃すと、時代を先取る力を失うことはもちろん、気づいたときには変化がもたらす事象によって、大切なものさえ失ってしまいます。

占いでは、「吉」か「凶」の判定に重きを置きますが、「時読み」は違います。東洋思想をもって社会の動きを事前に察知し、社会の動きにどう対処するかを学問的に学びます。良い、悪いではないのです。未来の社会がもたらす現象に対して、どう賢く対応するかを知るために「時読み」は存在します。

もともと易学は、現象の奥にひそむ「現象を引き起こす原因」が重要と考えられていました。それを**「裏成（うらなり）」**と言いました。しかし、日本の陰陽五行説者は、原因を解決するのはあまりに時間がかかるとして、「凶」の解決を図ったのです。ワザによって幸福を作ろうとしたのです。

この策略によって、「裏成」はいつしか「占い」となって、鬼門、吉方位、呪術的なワザが生まれました。現象の原因を、学問的かつ科学的に解決しようとする「時読み」は、どんどんと影を薄くしていったのです。

なぜ、家康は天下を取れたのか？

「時読みの概念」を話すときによく事例にするのが、江戸幕府を築いた徳川家康。江戸時代は約２６０年続く長期政権でした。

戦国の世にあって、なぜ家康が天下を取れたのか？

歴史が好きな人は分かりますよね。１６００年、天下分け目の戦いである関ヶ原の戦いに勝ったからです。教科書ではそうなっています。しかし！時読みを学ぶあなたにはもっと、別な側面に目を向けてほしいのです。

「鳴かぬなら鳴くまで待とう時鳥（ホトトギス）」

これは、徳川幕府を築いた徳川家康の忍耐強さを表現した句です。そう、家康は、自分の〝**動くべき時**〟をしっかりと計算して、来るべき時を待ったからこそ、日本の歴史でも類を見ない、江戸幕府約２６０年という長い歴史を作ったのです。

織田信長、豊臣秀吉はホトトギスをどうしましたか？　鳴くまで待てなかったのですよね。だから、信長は天下を取れなかったですし、秀吉の天下はわずかなもので終わりました。

戦国時代の「天下を取る」とは、現代で言うとビジネスで覇権を握ることと似ています。超一流企業の代表といえば、ソフトバンクの孫さん、ファーストリテイリングの柳井さん、楽天の三木谷さんなど、思い浮かぶでしょう。

孫さん、柳井さん、三木谷さん。彼らが天下を取れたのは、皆、時の流れに沿っ

た行動をしていたからです。攻めるべき時は攻めて（動いて）、守るべき時は守る（動かない）。天下を取るレベルの成功は、人力ではなしえない世界なので、彼らの参謀に**「時を読み解ける人物」**が絶対にいると、私は睨んでいます。

もし、あなたが経営者なら、絶対に「時読み」を学んでおきましょう。経営者は経営判断に悩んだとき、人に相談してはいけません。どんなに敏腕なコンサルタントでも時読みはミスをします。大事な社員とその家族を守るうえで、ミスは許されないのが経営者です。

時読みは決して裏切りません。
信頼性は限りなく高いことは二千年以上の歴史が証明しています。

もし人に頼るなら、「時読み学」をしっかりと学んでいる人に頼るようにしてください。そうすれば、あなたの未来は必ず明るいものになります。

時読みは事象学

ところで、松任谷由実さんの「やさしさに包まれたなら」を知っていますか？

その歌詞の中で、**「目に映るすべてのことはメッセージ」**というフレーズがありますが、このフレーズは、とても時読み学の本質をついています。

まさにその通りで、わたしたちは、大自然から「時」のメッセージを受け取っているのです。

大自然の光景には８つの種類があります。

「天、澤、火、雷、風、水、山、地」です。

この８つから派生するすべての自然、動植物からのメッセージのうち、４

つを学べば「国」を平定。８つすべて学べば「国士無双」で、究極の指導者になれると言われています。

※国士無双＝国中で並ぶ者がないほどすぐれた人物のこと

花鳥風月という言葉がありますが、それを事象学と言い、自然界のメッセージから物事を予測推測することです。

この概念はかなり難しいので、今回は省略し、次回作で詳しく話します。

ただ、８つのメッセージである「天、澤、火、雷、風、水、山、地」は、これから本書でも重要になる「ナインコード®」での時読みに必要な概念ですので、先にご紹介しておきました。

※ナインコードとは『易経』をベースにし、事象学を応用して人間の心理と才能を分析した、人間を理解するための統計学である。

「時読み」は人生なり

歴史が証明しているように、「時」を味方につければ、あらゆることが有利に運びます。たった一度の人生を有効に使い、楽しむためには、「時」の流れを事前に察知し、それに備え、対策を講じていくことが重要です。まさに、【「時読み」は人生なり】なのです。

思えば、時読みを知らない時の中野の人生は、それはもう悲惨でした。一番に思い出すのが2005年。当時の会社が大赤字になって破綻寸前まで追い込まれて、苦渋の選択として社員も減らしてしまいました。なぜ、そうなったのかって？　それは時を読まずに事業拡大を馬鹿みたいにやってしまったからです。41歳の時でした。

当時、会社は動画配信のサービスを展開していました。これからは動画の時代だ！と、どんどん設備にお金を使いました。今になって考えると動画を売りにしていたのは選択としては間違っていなかったのですが、なにせ時期が悪かった。「２００５年から始まったある動画サービス」と聞いて、何かピンとくる方はいますか？

そう、**YouTube**です。無料で動画を配信できるなんて、どんな手品を使ったんだ？　と思ったものです。顧客も無料で配信できるならYouTubeを使うと言ってきて、どんどん顧客は離れていきました。残ったのは大量の設備投資に使った負債だけ。

かなり焦りましたね。２００５年は今（２０２３年）と同じ**「風の四緑」**の年でした。風の四緑の年というのはブームが巻き起こりやすく、人の気持ちはすぐに移り変わるという特徴があります。しかも、ブームは遠方からやってくるという教えも。YouTube はアメリカ発ですので、もうこれにピッタリです。

何か得体の知れない巨大ブームが海外からやってくる。そう心構えをしていれば、大々的な設備投資はしなかったでしょうし、人の気持ちが移り変りやすいことがわかっていれば、顧客を離さないような囲い込みの施策もできたでしょう。今年２０２３年も、アメリカから Chat GPT が旋風を巻き起こしました。

時を味方につけるつけないというのは、まさにこのことです。２０２３年も四緑の年ですので、痛い目にあったこの時の教訓をずっと忘れていません。だから２０２３年の四緑の年は、顧客を囲い込むという意味で、独自の動画プラットフォームの開発もして、どんどん際どい情報ばかりを流す「**フロンティア**」のサービスを始めました。（開拓という意味で四緑の年にぴったりで

NEWS（情報）の裏側を読み解け！
中野博の独自メディア　会員制情報サービス
「未来の風　Frontier　（フロンティア）」
https://miraia.co.jp/wp/frontier/

す）

きっとあなたにも、大きな失敗がひとつやふたつはあると思います。それは単に、時を味方につけられなかったからです。時を味方につけられれば、リスクから解放され、悩み事も一気になくなります。

さあ、激動の時代における今こそ、時読みを学ぶ時です。
占いとは異なる、時読みの学問を身に着けて、人生を謳歌してください。

第2章

成功者だけが知っている時の魔術

なぜ、あの日が起きたのか？

さあ、「時読み」の偉大さを知ってもらったところで、その凄いパワーをさらに感じ取ってもらいましょう。

時代ごとに、その年を象徴する出来事というのがあります。起きてしまった事実は事実として、考えるべきことは、**「なぜ、その出来事がその年に起きたのか？」**ということです。

今から7つの誰もが知っているであろう出来事を紹介していきます。

そして、「なぜその出来事がその年に起きたのか？」を時読み学的に説明しましょう。

リーマンショック
2008年　戊子（つちのえね）　一白（いっぱく）

２００８年９月、アメリカの有力投資銀行であるリーマン・ブラザーズが破たん。それを契機として広がった世界的な株価下落、金融危機、同時不況を総称して、リーマンショックと呼ばれています。

原因は、リーマン・ブラザーズが低所得者向け住宅ローン（サブプライムローン）を証券化し販売したためです。結果、住宅バブルの崩壊とともに、負債総額約６０００億ドル（約64兆円）を抱え、破たんを招きました。

連鎖的に大手金融機関の経営危機を招き、金融危機を加速化させるに至ったわけですが、なぜ、この年（２００８年）にリーマンショックが起きたのでしょうか？

それは、2008年は「水の一白」の波動が流れる年だったからです。

一白の特徴は『易経』の中にある「坎為水（かんいすい）」という原典から、世界的に試練が訪れる年です。このリーマンショックはまさに、世界に訪れた試練でした。

金融は各産業の水源地とも言えますから、リーマン・ブラザーズの破たんは、たとえるならばダムの決壊。洪水と化した水（サブプライムローン）は、多くの人々の財産を奪いました。まさに、一白の年に起きるべくして起きたと言えましょう。

そして、一白の年には**「何事も始めからスタートする」**という意味もあります。ナインコードには一白～九紫がありますが、全部、数字がついていますよね。一白はその始まりですから、物事のスタートを示すのです。

余談ですが、この年は「iPhone 3G」がソフトバンクから発売されました。発売当時はなかなか受け入れられかったiPhoneですが、今では当たり前ですよね。iPhone人気はこの年から始まったのです。

また、この年はアメリカで初の黒人大統領である「オバマ大統領」が誕生しています。初の黒人大統領として、アメリカの新しい一歩が始まりました。新時代が誕生した瞬間です。

こういった、新時代を作るという面では、過去の一白の年でもよく見受けられます。１９９０年の一白の年では、戦後45年の分断を経て東西ドイツが統一しました。これもまさに新時代の幕開けでした。

バブル崩壊
1991年　辛未（かのとひつじ）　九紫（きゅうし）

平成最初のショッキングな出来事と言えば、１９９１年に起きた「バブル崩壊」でしょう。１９８５年、アメリカでのプラザ合意から始まり、１９８６年～１９９１年の間、「バブル経済」が続きました。

日本史上、空前の好景気。企業だけでなく、個人もどんどん銀行から融資を受け、ありとあらゆる土地を買いあさりました。その後、金融引き締め政策によって土地の価値が暴落。バブルが崩壊しました。

では、ここで考えてみましょう。

なぜ、この年にバブルが崩壊したのでしょうか？

バブルのはじけるタイミングは何も、この年でなくてもよかったはずです。

実態なき土地価格の沸騰は、以前からシグナルは出ていました。なぜ崩壊はこの年だったのか？　その答えは、１９９１年は、ナインコードで「火の九紫」つまり、大改革の年だったからです。

バブル崩壊は、これまで続いていた、「土地さえ買っておけば安泰」という「日本の土地神話」を払しょくしました。本来の価値に見合わない地価がついた土地。株価の異常な高騰。１９９０年に国が発動した金融引き締め政策から始まり、１９９１年の地価税法の施行によって、土地神話は終わったのです。

まさに「火の九紫」の大改革。さらに「辛」つらい年。「未」で新しい時代の先駆けの年でした。

新型コロナの流行
2020年 庚子(かのえね) 七赤(しちせき)

2020年2月から、「新型コロナ」が大流行しました。緊急事態宣言も発令され、国民は外出や外部と接触を遮断されました。さて、このコロナ流行を予期していた人はいますか？

もちろん、私は予測して準備もしていました。

なぜなら、2020年は「何か目に見えないモノが猛威を振るう」「外部との接触が難しくなる」「一時代が終わる」というメッセージが時の中に隠れていたからです。

それを事前に知っていたので、2019年のうちから、海外にある会社をいくつも閉じたり、日本全国で48拠点のスクールを閉じたり、人にまかせて譲ったりして準備していました。さらに、海外で展開していた6つのスクールも閉じるなど、準備はバッチリでした。

するると、ご存知の通り時が変わった2020年2月、新型コロナが中国からやってきて、世界的パンデミックになりました。

もし、時読み学を駆使して先読みができていたら、あなたならどうしていましたか？　新型コロナのおかげで儲ける企業もたくさんありました。そこに投資していれば、あなたは莫大な利益が出ていました。（もちろん、私は動画関連会社の株などを買って儲けさせてもらいました。笑）

時を味方につけていれば、こうした先読みもできるわけです

なお、2020年の十干十二支は【庚子(かのえね)】でした。庚子の年は、過去の清算、変化に痛みを伴う「反省」のある年です。当時、世界では米中貿易戦争、イギリスのEU脱退、イランや北朝鮮の核開発問題など緊張が高まることばかりでした。

社会の課題や悪しき慣習を解決したり改善するとき、「反省」しながら痛みがどこかでやってくるのが「庚」の特徴です。

ロシアとウクライナの争い
2022年　壬寅（みずのえとら）　ガイアの五黄（ごおう）

２０２１年11月23日、私は「時読み講座２０２２」でこう言いました。
「２０２２年2月3日以降、世界で戦争が起きる」と。

多分これを聞いた大部分の人は、「は？ 中野さん何言ってるの？」と、ほとんど信じなかったことでしょう。ですが、２０２２年がはじまりいざ蓋を開けてみると、とんでもないことが起きました。そう、ロシアのウクライナ侵攻です。

戦争を予言する人なんて世の中探しても、多分、私ぐらいでしょう。

なぜ、当てられたのか？

それは、２０２２年は「ガイアの五黄」の波動が流れていて、「破壊と創造」の年だったからです。

五黄の年には、天地がひっくり返るぐらいの破壊が世界中で起きます。

さらに言えば、２０２３年は「風の四緑」の年なので、「陰謀と策略」によって、世界が水面下で荒れる年。ならば、このタイミングで破壊が来ると踏み、『時読み講座２０２２』で堂々と宣言したわけです。


過去のデータを見ても、五黄の年にはすざましい破壊が起きていることがわかります。２０２２年はどんな破壊があったのか？　あなたの記憶を辿って、思い返してみましょう。

投資の話になりますが、戦争が起きることを予見していたので、戦争が起きることで利益を得る会社の株を事前に買っておきました。投資の本ではないので何を買ったかまでは言いませんが、気になる人は私のお金の本を読んでください。そこに答えがあります。

天皇陛下の生前退位（平成の終わり）
2019年　己亥（つちのとい）　山の八白（はっぱく）

２０１９年４月30日、当時の天皇陛下が生前退位（譲位）しました。元号も平成から令和に変わり、新しい時代が幕を開けました。

さて、ここでクエスチョンです。
なぜ、このタイミングで譲位が行われたのでしょうか？

それは、この年が「山の八白」だったからです。
山の八白のテーマは**継承**です。つまり、受け継ぐという使命がある年です。この年に受け継がれたものは、安定的に物事が好転するという傾向があります。天皇家や皇室関係は、**時読みのプロ**が参謀にいます。この年が山の八白の波動を受ける年ということを、まず間違いなく知っていたでしょう。

だからこそ、２０１９年に譲位を選択したのです。

この情報は表には出ない情報なので、驚きましたか？

世界のトップリーダー、特に東洋のリーダーは、参謀に必ず「時読み」をマスターしている人がいます。その人が「国を動かすなら今だ」と政治家に指令を出し、国を動かしています。

そうしないと、時を見誤り、国が崩壊してしまう危機に陥るからです。企業でもそう、大物のトップが入れ替わる時は、必ずそのタイミングに意味があります。詳しく言えば、八白以外でも、継承の良いタイミングはあるのですが、それは後ほど言いましょう。

東日本大震災
2011年　辛卯（かのとう）　湖の七赤（しちせき）

２０１１年3月11日、忘れもしない「あの日」が来ました。そう、東日本大震災です。実は、今だから言いますが、この年（２０１１年）は「東日本で危険なことが起きるので近づくな」という時の暗示がありました。

２０１１年は、十干では「辛」。ナインコードでは「湖の七赤」の年でした。辛というのは、それはそれは**「辛い出来事」**が起きる一年という傾向があり、世界的な危機に陥ることも辛の年です。

小難しい話になりますが、「辛」は字形が丄（じょう）と干と一を組み合わせた形になっているため、上を冒すという意味もあります。これまで地中奥深く（下）でたまっていたパワーが、地上（上）にむけて、圧力をものとも

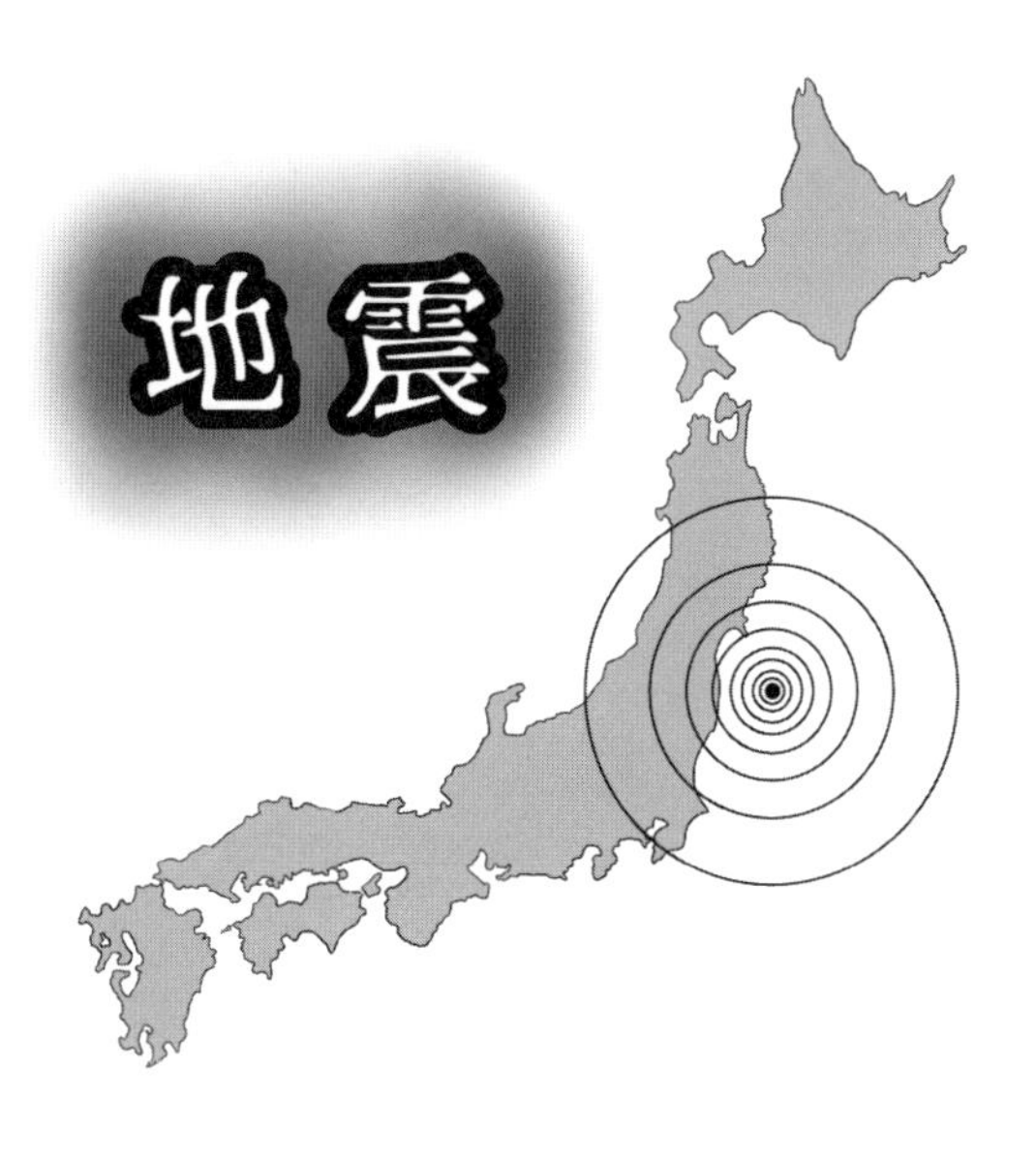

豪雪　・　豪雨　・　火山噴火

突風　・　雪崩　・　土砂崩れ

せずに放出されることを指すため、人間社会では下克上が起きやすいのです。上へ上へと人々の気質は動くタイミングなのです。

そして、どんな危機が多いのかというと、湖の七赤の特徴は水にまつわる災害が多いという暗示があります。湖を想像してください。水が溜まっていますよね。そう、その有り様が世界のどこかで起きるということなのです。

それを知っていた私は、２０１１年2月以降、海辺沿いに近づくのをやめていました。すると、３月11日、あの巨大津波が地震と共に起きたのです。同じく「湖の七赤」の年である１９９３年には、北海道南西沖地震が発生しており、ここでも大きな水被害が発生しています。


「辛」の年は、大きな自然災害やテロが起きやすい傾向にあります。しかも、その処理には長くの年月がかかるのです。人々の生活にも多大な影響が出ます。１９４１年（辛）では真珠湾攻撃がありました。これを機に太平洋戦争がはじまり、推定２６２~３１２万人もの犠牲者が出ました。

安倍元首相襲撃事件
２０２２年　壬寅（みずのえとら）　ガイアの五黄（ごおう）

２０２２年７月８日、ショッキングな出来事がありました。そう、安倍元首相の襲撃事件です。海外で起きているようなことが、まさか日本で起きるとは思いもしなかった人も多いですよね。でも、こういったことが起きる可能性は大いにありました。なぜなら、２０２２年はガイアの五黄年。「破壊と創造」の一年だからです。


この一件は、何が破壊されたのでしょうか？

そう、「日本の安全神話」です。

「日本は安全な国だから」と言って、防衛を侮っている人はいませんか？もう日本は安心安全な国ではありません。日本を安心安全な国と思っていると足元をすくわれ、いつか大変なことになりますよ。

日本の安全神話が破壊

２０２３年下半期はどうなる？

時のメッセージの重要性がわかっていただけましたか？

時のメッセージを知れば、その年に何が起きるのか？　大体の予想がつくわけです。２０２２年の11月に行われた「時読み講座２０２３」では、こう私は予想しています。

２０２３年は戦争が激化する見込みです。癸は「一揆」を示します。ロシア・ウクライナ問題も長期化して、他の地域にも戦争の飛び火が来る可能性が高いでしょう。

プーチンは短期間で決着がつくという見込みでウクライナへ侵攻しましたが、泥沼にハマり、ロシア軍の損失は日に日に増しています。各国の経済制裁の中で国民は疲弊。中国がバックアップしている面はあるものの民衆の不満は高まり、ロシア国内では不穏な空気が流れています。

また、四緑の年は自然災害として、竜巻や土砂崩れが多発します。強風による多大な影響が出ますので、注意が必要です。

どうでしょうか?

今のところ、バッチリ当たってますよね? 10月9日にハマスがイスラエル攻撃も予測的中!

今年は竜巻や台風の被害も多いです。アメリカでも100年に一度のハリケーンが来ています。

こういった予想ができれば、来年の出来事だってすぐに予想できるのです。

巻末に、毎年の「時読み講座」で渡している資料の中でも最も価値が高いと呼べる**「時読み年表」**を特典としてつけておきます。これをじっくりと見れば、いかに時読みの教えに沿って、過去が繰り返されているのかが一目でわかります。

毎年開催される「時読み講座」で最新の「時読み年表」をお渡ししています。

２０２３年の「時読み講座２０２４」は11月23日に開催されます。楽しみにしていてください。

時読み講座 ®2024
グレートリセットで変わる世界の時流と日本！
2024 年「甲辰（きのえたつ）」の年に起こることは何か？
「時読み ® 講座」で明らかに！
https://miraia.co.jp/page-6222/

2024年は9年に一度の大激震の年⁉

2024年は、「甲辰（きのえたつ）　雷の三碧（さんぺき）」の一年です。

新しい法則やルールが誕生するときで、社会は活力に満ち溢れ、勇気をもって奮い立つことで機運が回ってきます。そして、潜在化されていたものが、いよいよ社会に浸透し始め、新時代の本格的なスタートになる一年です。

そのとき、すさまじい衝撃が起きます。2024年は社会を揺るがす、大地を揺るがす巨大な衝撃波が世界を襲うのです。それが具体的にどんなものなのか？

それは、2023年11月23日に開催の【時読み講座2024】で詳しく解説しますが、かつてない激動が待っています。

２０２４年が激動の一年になる理由。

それは、**「グレートリセット」**が起きることが決まっていることです。

このグレートリセットが注目されている理由としては、世界情勢の改善に取り組む国際機関である「世界経済フォーラム（WEF）」が、２０２１年5月に開催したダボス会議のテーマとして設定したことからはじまりました。

誰もが今までに経験したことのない新型コロナウイルスの流行により、世界経済への影響が長引いたため、社会・経済システムを新しく構築しようとグレートリセットが話題になったのです。

このグレートリセット。実は、そんな生やさしいものではありません。社会を良くするためというのは建前で、本当のところは、ディープステイト（世界を裏で牛耳る人々）が金を儲けるために仕組んだ大規模な改革です。これによって、彼らが大金を得るための仕組みが世界中で構築されていきます。

「政治のリセット」「金のリセット」。そして、「人のリセット」・・・。
２０２４年は、信じられない「まさか！？」の出来事が連続して起きる！

全てのはじまりをあらわす十干の「甲」
魂を揺らしながら昇り進む十二支の「辰」
雷のように激しく社会を変えるナインコードの「雷の三碧」

１８０年に一回の組み合わせによる激動のトリプルアクセルによって、２０２４年はかつてない激震の一年になることが決まっています。そこには知りたくもない事実もあるでしょう。しかし、知っておかないとあなたは情報弱者になり、財産を搾取される側に確実に回ってしまいます。

そうならないためにも、【時読み講座２０２４】の動画を購入して学んでください。２０２４年に起きる出来事を、この講座で全て話します。私が世界の専門機関やジャーナリストから仕入れた裏の情報を、ここで教えます。一般のマスコミは絶対に言わない、いわば闇の情報です。聞くのも覚悟がいりますが、知っておけば未来は明るいものになります。

毎年１２００人以上が受講する大人気の講座で、この中で提供している情報で、「来年の10大予想」の的中率は94％を超えます。

経営者もサラリーマンも絶対に受講してください。はじめての人はどんなものか恐る恐るかもしれませんが、騙されたと思って受講してみてください。

大丈夫、必ずあなたの糧になる内容です。

私を信じて、話を聞きに来てくださいね。

時読み講座 ®2024
グレートリセットで変わる世界の時流と日本！
2024 年「甲辰（きのえたつ）」の年に起こることは何か？
「時読み ® 講座」で明らかに！
https://miraia.co.jp/page-6222/

時を読んで会社と家族を守れ

【時を読める力】があれば、
攻めのタイミング
守りに徹するとき
いつ、何をすれば、ベストな結果が出るのか
これらを事前に察知できます。

時の流れを暗示する〈運命の羅針盤〉を手に入れ、その扱い方を熟知していきましょう。運命の羅針盤とは、「十干」と「十二支」、そして世界最古の『易経』から導き出されたナインコードです。

「十干」×「十二支」×「ナインコード」と、これらをかけ合わせることで、未来の展望は大きく開けます。

昔の「戦」は、現代の「経営」「家庭を守ること」と同じです。

【時】が読めれば、行動の指針がブレることはありません。

常に先読みをして、正しい一手を打つことが出来ます。

本書と「時読み講座２０２４」で迷いなく人生を進めてください。

きっと、成果へと結びつきます。

第3章

十干と十二支の秘密

還暦とは?

還暦という言葉を聞いたことはもちろんありますよね。

本書を読んでくれている人の中で、ちょうど還暦を迎えた人はいますか?

おめでとうございます!

実は、還暦を迎えたということは、人生において、ある重要なことを達成したということです。

ちなみに私も2024年に還暦を迎えます!笑
さて何が重要かというと、それは、干支を全て一通り経験したということです!

あなたは、「なぜ還暦って60歳なのかな？」と疑問に思ったことはありませんか？

それは六十の干支を全て経験し終わる年が、60歳だからです。

※全ての干支は一覧にしておきましたので、参照してください。

六十干支表

1〜10	11〜20	21〜30	31〜40	41〜50	51〜60
1 甲子 きのえね カッ(コウ)シ	11 甲戌 きのえいぬ コウジュツ	21 甲申 きのえさる コウシン	31 甲午 きのえうま コウゴ	41 甲辰 きのえたつ コウシン	51 甲寅 きのえとら コウイン
2 乙丑 きのとうし イッチュウ	12 乙亥 きのとい イツガイ	22 乙酉 きのととり イツユウ	32 乙未 きのとひつじ イツビ	42 乙巳 きのとみ イツシ	52 乙卯 きのとう イツボウ
3 丙寅 ひのえとら ヘイイン	13 丙子 ひのえね ヘイシ	23 丙戌 ひのえいぬ ヘイジュツ	33 丙申 ひのえさる ヘイシン	43 丙午 ひのえうま ヘイゴ	53 丙辰 ひのえたつ ヘイシン
4 丁卯 ひのとう テイボウ	14 丁丑 ひのとうし テイチュウ	24 丁亥 ひのとい テイガイ	34 丁酉 ひのととり テイユウ	44 丁未 ひのとひつじ テイビ	54 丁巳 ひのとみ テイシ
5 戊辰 つちのえたつ ボシン	15 戊寅 つちのえとら ボイン	25 戊子 つちのえね ボシ	35 戊戌 つちのえいぬ ボジュツ	45 戊申 つちのえさる ボシン	55 戊午 つちのえうま ボゴ
6 己巳 つちのとみ キシ	16 己卯 つちのとう キボウ	26 己丑 つちのとうし キチュウ	36 己亥 つちのとい キガイ	46 己酉 つちのととり キユウ	56 己未 つちのとひつじ キビ
7 庚午 かのえうま コウゴ	17 庚辰 かのえたつ コウシン	27 庚寅 かのえとら コウイン	37 庚子 かのえね コウシ	47 庚戌 かのえいぬ コウジュツ	57 庚申 かのえさる コウシン
8 辛未 かのとひつじ シンビ	18 辛巳 かのとみ シンシ	28 辛卯 かのとう シンボウ	38 辛丑 かのとうし シンチュウ	48 辛亥 かのとい シンガイ	58 辛酉 かのととり シンユウ
9 壬申 みずのえさる ジンシン	19 壬午 みずのえうま ジンゴ	29 壬辰 みずのえたつ ジンシン	39 壬寅 みずのえとら ジンイン	49 壬子 みずのえね ジンシ	59 壬戌 みずのえいぬ ジンジュツ
10 癸酉 みずのととり キユウ	20 癸未 みずのとひつじ キビ	30 癸巳 みずのとみ キシ	40 癸卯 みずのとう キボウ	50 癸丑 みずのとうし キチュウ	60 癸亥 みずのとい キガイ

全ての干支を体験した人は、気品と尊厳に溢れていて、人として学ぶべきことを一通り行った人なのです。

ただし、現代の60歳の人間でも、干支を知らずに生きてきた人がほとんどです。だから、還暦と言っても、そこまで人間的に成熟していない人がたくさんいます。

でも、本書と出会ったからには大丈夫です。

六十の干支の意味を知って、それぞれのメッセージを感じ取りましょう。まだ六十になっていない人は、還暦を迎えたとき、ものすごく人間味溢れる素敵な60歳になっているはずです。

あ、そうでした。わかっていない人がいると思うので、一応言っておきますね。

多くの人が、年賀状で使う「子（ね）・丑（うし）・寅（とら）・・・」
実はこれは干支（えと）とは言いません！
干支とは次の公式で成り立っています。

干支 ＝ 十干 ＋ 十二支

十干は先程あげた「甲、乙、丙・・・」の10種類です。
そして、十二支は「子、丑、寅・・・」の12種類です。
つまり、多くの人が年賀状で使っているのは十二支なんですね。
これから、その部分も詳しく話していきますね。

十干のメッセージ

時読みをする際に重要な3つのテーマ。その一つ目が「十干」です。

聞いたことがありますか？

昔は通信簿にも使われていました。

最近では漫画の「**鬼滅の刃**」でも、隊の階級で使われていましたので、若い方でも聞いたことはあるかもしれません。


しかし、その実態や詳細について知っている人はほとんどいないのではないでしょうか？

十干は、以下の10の要素で成り立っています。

甲（こう）、乙（おつ）、丙（へい）、丁（てい）、戊（ぼ）、己（き）、庚（こう）、辛（しん）、壬（じん）、癸（き）

さらに、「五行（ごぎょう）」に分類できます。
五行とは、自然界は【木（もく）、火（か）、土（ど）、金（ごん）、水（すい）】の５つの要素で成り立っているという思想です。

五行の〝行〟という文字には、「巡る」や「循環」するという意味があります。５大要素が循環することで自然界は構成されていると考えられていました。

この十干の概念は、今でも、現代社会に生きています。順番を決めるのが難しいという意味の「甲乙つけがたい」という言葉。この語源も十干です。焼酎で甲類・乙類というのもありますね。他にも、危険物取扱者などの資格は甲種・乙種に区分される、といった具合で生き残っています。

また、契約書を作成する際に「発注者・○○（以下「甲」とする）」、「受注者・××（以下「乙」とする）」とよくありますよね。ビジネスマンにとってはこれが一番分かりやすいでしょう。

そして、誰もが聞いたことのある高校野球で有名な甲子園！
甲子園球場が完成した年は大正13年（1924年）でした。この年は十干の甲（きのえ）と十二支の子（ね）に当たる甲子（きのえね）の年でした。そのことから、球場名が甲子園（こうしえん）と名付けられたのです。

このように、十干は今でも使われているのです。

では、ここからそれぞれの十干がどのような意味と働きをしているのか？

これから一つ一つ詳しく見ていきましょう。

十干の意味

甲（きのえ）：木の陽気

種子が固い殻に覆われているイメージ。独立心、勇気などを象徴し、それらが意思となり自我の殻を突き破って進もうとする。（種子が発芽するまえの原皮をかぶっている状態）

乙（きのと）：木の陰気

種子が水や養分を摂取し、発芽の力で健やかに伸びる様。連絡、援助、均一などを象徴。（草木の芽が自由に伸びられず、曲がりくねっている状態）

丙（ひのえ）：火の陽気

太陽の光を受け、若葉や新芽が地上に現れてくるイメージ。熱意、直感、感性を象徴。（草木が伸びてその形が明らかになった状態）

丁（ひのと）：火の陰気

胸の内に秘められた情熱。それが、全てのモノにとって、成長に必要な力となる。炭火のように人の心を温める。補佐的なポジションを象徴。（草木の形が充実した状態）

戊（つちのえ）：土の陽気

万物の繁栄。成長著しい状態を指す。圧倒的なリーダーシップで、物事を成功へと導く。（草木が繁茂して盛んになった状態）

己（つちのと）：土の陰気

成長が終わり、実りを迎えるイメージ。何事にもくじけない忍耐強い心を象徴し、常に反省を繰り返しながら、学びを深めていく。（草木が成熟して果を結ぶ状態）

庚（かのえ）：金の陽気

物事が成熟し、大きな結果となるイメージ。これから始める新しい取り組みに向け、変革が必要とされる。行動力も大切。（結実した後に草木が一新する）

辛（かのと）：金の陰気

全ての命が、今までとは全く異なる別のステージへと動く。つらい時期の中で、新しい価値観を見出す。きらびやかさを大切に。（草木が枯死してまた新しくなろうとする状態）

壬（みずのえ）：水の陽気

また種子が殻の中にこもり、後世へとつないでいくイメージ。新しい生命が宿りはじめる。誠実な生き方が大切。（地中にあった新しい生命が陽気を待って発生する状態）

癸（みずのと）：水の陰気

新しい命が誕生し、胎動を始める。そして、地上に生まれる時とタイミングを見計らっている状態。純粋な心がテーマ。（草木の種子が大きくなり長さを測ることが出来る状態）

	五行	十干	特性の段階
木	木の兄（きのえ）	甲（こう）	種子が発芽する前の原皮をかぶっている状態
	木の弟（きのと）	乙（おつ）	草木の芽が自由に伸びられず、曲がりくねっている状態
火	火の兄（ひのえ）	丙（へい）	草木が伸びて、その形が明らかになった状態
	火の弟（ひのと）	丁（てい）	草木の形が充実した状態
土	土の兄（つちのえ）	戊（ぼ）	草木が繁茂して盛んになった状態
	土の弟（つちのと）	己（き）	草木が成熟して実を結ぶ状態
金	金の兄（かのえ）	庚（こう）	結実した後に草木が一新する状態
	金の弟（かのと）	辛（しん）	草木が枯死してまた新しくなろうとする状態
水	水の兄（みずのえ）	壬（じん）	地中にあった新しい生命が陽気を待って発生する状態
	水の弟（みずのと）	癸（き）	草木の種子が大きくなり長さを測ることが出来る状態

十二支のメッセージ

では次に十二支について説明しましょう。年賀状でよく使うので、現代人にはこっちの方が馴染み深いですよね。

十二支の「支（し）」は幹の枝を表します。

一般的に十二支は、12ヶ月の順序を示すための符号（数詞）だと考えられていました（子は正月、丑は二月、寅は三月というように）。

十二支で気をつけてほしいのは、年賀状では動物がそれぞれ使われていますが、本当は**動物は関係ない**ということ。動物を当てはめたのは、単に覚えやすくするためで、動物には何の意味もありません。

大切なのは、漢字に込められた意味なのです。

《十二支の一覧》

子（ね、し）	丑（うし、ちゅう）	寅（とら、いん）
卯（う、ぼう）	辰（たつ、しん）	巳（み、し）
午（うま、ご）	未（ひつじ、び）	申（さる、しん）
酉（とり、ゆう）	戌（いぬ、じゅつ）	亥（い、がい）

●子（ね）は（ふゆる）

生命が動き出すとき。人を導く愛の心を持とう

【子年のキーワード】

・生命力や創造性を使って「始める」「復活させる」時期
・「何かが増える」時期
・社内外の問題を解決できる人や信頼できる人材を日頃から確保しておこう

●丑（うし）は（からむ）

すべてを結び付ける力。愛で縁を結ぼう

【丑年のキーワード】

・困難にめげずに「始める」「掴む」時期
・二つのもの、人を「結びつける」時期
・様々な「困難」がある時期
・人材を結集してよい方向へ導いていくようにしていこう

●寅（とら）は（のびる）

内に秘めた潜在的な想いが発動するとき

【寅年のキーワード】

・「助ける」「敬う」「慎む」「伸びる」「進む」時期
・協力者を排除しようとしたり、他人を尊重せず、自己中心的な態度をとっていると、チャンスが転じてピンチとなる

●卯（う）は（さかん）

豊かさの中で成長し、人生が昇り進むとき

【卯年のキーワード】

・従来手をつけなかった未開地を「開拓する」時期
・事業活動で「陽気と精気が最も盛ん」な時期
・これまで手をつけなかった困難な問題に取り組み、積極的に新しい道を切り開いていこう

●辰（たつ）は（しん）

魂を揺らし、旺盛に鍛錬を重ね、成長していくとき

【辰年のキーワード】

- 陽気と活力に満ち満ちている「奮い立つ」時期
- いろいろな「問題が発覚する」「障害物を除去する」時期
- 外界の抵抗や妨害をものともせず、古い状態から抜け出して、新しい情勢を創り出すべく力強く進む

●巳（み）は（とどまる）

社会貢献の段階に向けチャンスを待つとき

【巳年のキーワード】

- 物事が一旦終って、また「新しく始まる」時期
- 「隠れていた諸問題」が表面化する時期
- 従来の慣習に染まった仕事の進め方から抜け出すとき
- 発展に向けた、新しい創造的な歩みを始めるべき

●午（うま）は（さからう）

心と人生の在り方を救済へ変えるとき

【午年のキーワード】

・発展的、創造的な改革をする時期

・改革反対派による「下からの突き上げ」を食らう時期

●未（ひつじ）は（かおりたつ）

心身を熟成させ、人間味をつけるとき

【未年のキーワード】

・これまで取り組んだ活動に「一定の成果」が生まれる時期

・茂った枝を剪定して風通しを良くし「明るく」する時期

・事業が成功する時期。（ただし、末節の雑事を思い切って省き、会社全体にイキイキとした活力を取り戻すべき）

●申（さる）は（のびる）

人格を向上させ、常に精進を心がけるとき

【申年のキーワード】

・紆余曲折がありながらも「伸びる」「進展する」時期
・明確な価値基準を元に判断・行動し、活力を蓄える時期
・あらゆる分野で、新しい勢力や反対勢力の動きが一層盛んになる。果断に対処して、冬の難しい時期に備えるべき

●酉（とり）は（ちぢむ）

心を醇化し、綺麗な人間性を醸し出すとき

【酉年のキーワード】

・熱心に取り組んできた事業活動に「成果が生じる」時期
・「革命的な変動」が起きる時期
・筋を通して事に当たらなければ、取り返しのつかない結果になる

●戌（いぬ）は（きたえる）

心身を鍛え威信・威厳を取得し役割を全うするとき

【戌年のキーワード】

・事務を簡素化して、「活力を内蔵」する時期
・枝葉末節な事柄が増え、物事が「停滞」し「活力が衰える」
・沈滞している空気を一新して、次の段階に向け内部を整えるべき

●亥（い）は（とじる）

物事の核を見抜き、志を抱き、時期を待つとき

【亥年のキーワード】

・愛のエネルギーを内在する時期
・不満エネルギーが爆発的になり、何が起きるか分からない時期
・膨大なエネルギーが内蔵。いつ突然爆発するか分からないので、自重（自戒）して、活力を内に秘めておくべき

第4章

ナインコードの秘密

ナインコードで読み解く未来予想図

「99％の人間関係は『ナインコード』で解決できる！」

私はこれまで2万9千人以上の塾生たちにこう話してきました。

ナインコードとは、世界最古の『易経（えききょう）』をベースに、運命学、帝王学などを交えて、2万人のサンプリングを体系化した秘伝のCodeです。

「水の一白」「大地の二黒」「雷の三碧」「風の四緑」「ガイアの五黄」「天の六白」「湖の七赤」「山の八白」「火の九紫」など、人間は9タイプに分かれます。「本当の自分」がわかり「人間関係」の悩みが解消される魔法のツールなのです。

ただ、本書ではそれぞれのナインコードの人間性は深掘りしません。今回着目するのは、それぞれの年に当てはめられたナインコードの気質から起きる出来事です。

十干、十二支のように、ナインコードも毎年巡ります。たとえば、本書が出た2023年は「風の四緑」の年です。この年のテーマは【陰謀と策略】。水面下で物事が暗躍して、何かの拍子でパッと思いもよらないことが起きます。

そして風に関する被害が多発する年です。2023年3月26日にはアメリカのミシシッピ州でハリケーン、7月4日には静岡で大規模台風がありました。さらには、アメリカのフロリダ州で8月末ごろ、100年に一度の巨大ハリケーン（イダリア）も発生。まさに、風の四緑年ならではの出来事です。2022年11月の時読み講座で予言したことがそのまま当たりました。

事前に言っておきますが、ナインコードの未来予測は「天気予報」のようなものです。天気も過去データを統計的に判断して降水確率や台風の進路などを導き出していますが、ナインコードも一緒です。

過去、何千年という歴史を持つ『易経』から派生したナインコードは、その歴史に基づいたデータから〝未来の傾向〟をはじき出します。

しかし、どんな天気予報でも「絶対」がないように、ナインコードから導き出された未来予想にも「絶対」はありません。あくまで、〝傾向として高い〟ということを、これまで示してきました。傾向が高いということは、その傾向にさえ従えば、同時に「失敗しない確率も高まる」ということです。

たとえば地方に出張するとき、雨の予報が80％だったとします。その予報を知っていたらあなたはどうしますか？　きっと、高い確率で降るであろう雨に備えて、折り畳み傘を用意しますよね。用意さえしておけば、いざ雨降っても対処ができるのですから。

それと同じで、ナインコードで「今年は○○な未来になる傾向が高い」と知っていれば、**その未来に備える**ことも可能になります。

仮に予想していた未来が外れたとしても、備えたからこそ心に「安心＝心の余裕」が生まれるはずです。もちろん、重々感じているとは思いますが、ビジネスマン、経営者にとって、この「安心＝心の余裕」はとても大切となります。

予測していなかったことが起きてしまい、慌てふためく人。はたまた、事は起きてしまったけれど、予測して備えていたからこそ、余裕をもって対処できる人。あなたはどっちになりたいですか？

こういったことを念頭に入れて、ここからを読み進んでください。

一白～九紫　各年の傾向

【水の一白（いっぱく）】の年
（1999年、2008年、2017年、2026年、2035年）

一白の特徴は『易経』の中にある「坎為水（かんいすい）」という原典から、世界的に試練が訪れる年です。

特徴

●全体的に辛い出来事が起きる
●上から下へと強制圧力がかかる
●新時代の幕開け
●水害の被害が起きやすい

幸運を掴むキーワード

●一つのことに固執せずに柔軟に生きる

一白の年は社会全体が安定しにくい傾向にあります。経済も不安定で、物事も流動的です。そして、世間にとって辛いことが起きやすいのも一白年の特徴です。

２００８年のビッグニュースと言えば、アメリカで初の黒人大統領である「オバマ大統領」が誕生です。これはアメリカの新しい一歩の始まりでした。こういった、新時代を作るという面では、過去の一白の年でもよく見受けられます。１９９０年の一白の年では、戦後45年の分断を経て東西ドイツが統一されました。これもまさに新時代の幕開けでした。

そして、**一白の年では同調圧力やパワハラが横行します。**水が上から下へと流れるが如く、立場が上のものから下のものへ、圧力が高まります。

さらには、**水害被害**が大きくなるのも一白の特徴です。2017年の一白の年、7月5日から6日にかけて、福岡県と大分県を中心とする九州北部で人的被害が大きい集中豪雨がありました。水害には特に注意が必要な年ですので、川辺や海辺に住む人は要注意です。

水の一白の年に豊かさを掴むキーワードとしては、「柔軟な生き方」です。一つの物事に固執してはいけません。固執していては絶対に、物事は成功しません。物事が好転しにくい年ですので、「まあ、いいか。次の方法にトライしてみよう」ぐらいの気持ちで何事も臨むことが重要です。

落ち込んだり、暗くなったりすると一気に運気が落ちる年ですので、明るく楽しく、そして陽気に生きることを心がけましょう。

【大地の二黒】の年
（１９９８年、２００７年、２０１６年、２０２５年、２０３４年）

二黒の特徴は『易経』の中にある「坤為地（こんいち）」という原典から、人知れない努力と与え切りの愛の実践がテーマの年です。

特徴

- ●無償の愛によって社会が変わる
- ●縁の下の力持ちが躍動する
- ●社会のペースは比較的緩やか
- ●人々の好奇心は高まる
- ●無償の愛がテーマになる年

幸運を掴むキーワード

●お布施（見返りを求めない）の気持ちを大事にする

大地の二黒の年は、社会全体のペースがじっくりと緩やかになります。地に足をつけて動くという言葉がありますが、まさにその通り。母なる大地に包まれる世界は、暖かく、おおらかな波動を纏います。

この年は、世界的に見ても大きな躍動的な出来事はあまり表に出てきません。ただそれは、表に出ないだけで、裏側ではじっくりと物事が推進しています。二黒の年は大地が動植物を育てるように、環境設定が何より大切な年です。畑を想像してみてください。土が良くない畑では良い農作物は育ちません。それと一緒です。

さらに、**縁の下の力持ちが躍動**します。たとえば政治では官僚たちが活発に動きます。エンジニアなんかも、この年に新しいシステムを開発して、その２〜３年後に世の中に開発したシステムを送り出すことも少なくありません。縁の下の力持ちとして動いている組織や会社はどこか？　それを調べるだけでも、投資などでは儲かるヒントになりそうです。

そして、何より実践すべきは**「見返りのない行動」**です。
つまり、人助けです。**あなたは人を救っていますか？**
見返りのない心で。

二黒の年に成功する人は、必ずこのお布施（人助け）の精神を大切にします。
実は、私の知り合いに、あるハリウッドスターがいます。その人は、二黒の年に、自分の財産のほとんどを困っている人やお布施に使いました。そう、時読みで、この年はお布施こそが運気を掴む鍵と知ったからです。するとなんと、いきなりハリウッドのオーディションに合格。誰もが知る有名映画の、準主役をゲットしたのです。まさに二黒のお布施パワーですね。

そうでした。最後に一応言っておくことがありました。

この年は大地を不機嫌にさせると怖いのです。

前回の二黒の年、２０１６年。熊本で震災がありましたよね。二黒の年には、地震も起きやすい傾向があります。大地は偉大で尊いものです。

地面にゴミを捨てていませんか？

大地を粗末に扱っていませんか？

次に訪れる二黒年（２０２５年）は、大きなしっぺ返しがきますよ。注意してくださいね。

【雷の三碧（さんぺき）】
（1997年、2006年、2015年、2024年、2033年）

三碧の特徴は『易経』の中にある「震為雷（しんいらい）」という原典から、人に対する感謝ができれば人生を繁栄と発展に導けます。そして、魂の上昇志向による社会貢献が天命です。

特徴

- **人々の挑戦心がうごく年**
- **革命的なアイデアやひらめきが社会にうまれる年**
- **物事のスピードが速くなる年**
- **人々の感性がいつもより豊かになる**
- **人々の気質は荒ぶる**

幸運を掴むキーワード

●迷ったら即行動！チャレンジする心が大事

三碧の年は、二黒と打って変わって真逆の年です。人々の気持ちは先走り、世間は慌ただしくなります。そわそわ落ち着きません。

革命的なアイデアが生まれやすい年で、後の偉大な発明発見は三碧の年で創造されることも少なくありません。

2024年は三碧の年です。三碧を象徴するのは雷。大きな音と光で、強烈な一撃を大地に打ち込みます。その衝撃はすざましいものです。よって三碧の年は、世界中で衝撃な出来事が続々起こるという、時の暗示があります。

最も気をつけるべきは、**「地震」**。三碧は「震える」というメッセージがあります。その脅威として最初に思い出すのが地震です。2024年は、大きな地震が世界各地で起きる傾向がありますので注意してください。

三碧の年は、人の気性が荒々しくなります。今までおっとりしていた人がいきなり活発になることも。さらに、人は飽きっぽくなります。一度決めたことも、行動は早いのですが、継続ができません。

この年は**勇気を持ってスタートアップする起業家が増えます。**新しいビジネスチャンスが転がっている年ですので、経営者はスピードが大切です。

幸運を掴むキーワードとしては、迷ったらすぐに行動することです。三碧の年は悩んではいけない年です。

やるかやらないか？「まずはやってみる」が正しいのです。

迷っていてはだめです。スピードが早すぎる三碧の特性のおかげで、世間から置いていかれます。つまり、ビジネスで言うと機を逃します。

スピード重視で何事も取り組んでください。

【風の四緑】
（1996年、2005年、2014年、2023年、2032年）

四緑の特徴は『易経』の中にある「巽為風（そんいふう）」という原典から、風のようにさわやかに過ごせば、ものごとは好転します。

特徴

●物事の風通しが良くなる
●過去が総括され次へ進む（未知の領域が開拓）
●選択と集中をしたものが翌年から勝つ
●情報戦が活発になり、株価は荒れる
●出会いと別れが多くなる

幸運を掴むキーワード

●集中と選択。風のように爽やかな心で（固執するな）

風の四緑の年は、世界中で「陰謀と策略」が働きます。スパイ活動が横行し、情報戦を制したものが勝つ一年です。四緑は風を象徴しますから、古い過去を吹き飛ばし、新しくできた道に開拓精神を見出すことで活路が生まれます。

そして、あなた自身も風通しを良くすることが四緑の年では重要です。自身の風通しをよくするとはどうゆうことかわかりますか？

そう、**「選択と集中」**です。

余計な枝葉を切り落とすように、あなたの周りにある無駄を削ぐ必要があります。友人知人関係もです。

周りに足を引っ張る人はいませんか？　あなたの夢を邪魔する人はいませんか？

そんな人とは、**四緑の年に縁を切るのがベスト**です。事実、私も２０２３年９月に Facebook の友人を二千人切りました。（笑）

無駄な友好関係やつながりは重要な時に足を引っ張られます。四緑の年は縁つなぎの年でもあるのですが、逆に縁を切るのも大事なミッションです。

事業もそう。数年続けても利益が出ていない事業や、その事業が足枷になって次に進めないのなら、**バッサリ切るべきです。**

また、情報戦が活発になることから、四緑の年は株価が荒れます。

２０２３年を見てみましょう。日経平均はかつてないぐらい上がっていますし、ＮＹダウも好調です。しかし、おそらく２０２３年の下半期（11月下旬ごろから）、次第に株価は荒れてきます。これは、過去も証明しています。あの株価の世界的暴落、ブラックマンデーも四緑の年に起きています。

さあ、今後どうなるかは、あなたの目で確認してくださいね。

【ガイアの五黄(ごおう)】
（１９９５年、２００４年、２０１３年、２０２２年、２０３１年）

　五黄は原典がありません。全ての中心であり、地球を象徴します。自分本位の考えではなく人の役に立つことを心がければ成功への道は開かれます。くじけない・あきらめない・いばらないが天命。

特徴

- **●破壊と創造によって大きく物事が形を変える**
- **●熱い起業家や政治家が立ち上がる**
- **●金持ちと貧乏人の格差が広がりやすい**
- **●引力の力によって何でも引きつける**

幸運を掴むキーワード

●初志貫徹。何とも時間をかけてでもやり切る

ガイアの五黄年は、地球規模で「引力」が働きます。引力とは良いものも悪いものも何でも引きつけてしまう吸引力です。

この「引力」の発動方法は簡単で、ネバーギブアップの精神で、何でも実行すること。そして、最後までやり切ることです。そうすれば、あなたにも引力が発動し、願望が何でも叶います。

そして、五黄を象徴するのが**「破壊と創造」**です。

五黄年には大きな破壊が起きます。2022年はその代表格として、ロシアとウクライナの争いが起きました。世界の構図と形が変わった瞬間です。

また、この年は金持ちと貧乏人の差が広がりやすいという特徴があります。それは、強いエネルギーを持てば持つほど栄えるという法則があるからです。願えば何でも叶う。それが五黄の年の特性だからこそ、強く願えるエネルギーのあるものが勝利者になります。

幸運のキーワードも初志貫徹です。発言したこと、願ったことを最後までやり切ることが、豊かさを手にします。やったもん勝ちの年が五黄なのです。

【天の六白(ろっぱく)】
（1994年、2003年、2012年、2021年、2030年）

六白の特徴は『易経』の中にある「乾為天（けんいてん）」という原典から、純粋な正義や理想を築き上げる強靭な信念が大切になります。天を目指す志を抱き、自他共に幸せにする生き方で社会の理想を実現する事が天命。

特徴

- 経済は活発化（株式投資や金融緩和が活発に）
- 政治とカネの問題がでやすい
- 政治家など新しいリーダーが誕生
- 国家間での対立が際立つ（各国がリードしたがる）
- 一国家でも国民を統制しようとする動きが出る（独裁化）
- 人々のプライドは例年より高くなる

幸運を掴むキーワード

●コミュニティのリーダーになろう

六白の年は、経済活動が活発になる傾向があります。六白の五行は金にあたりますから、金にまつわる出来事が多発します。政治と金の問題もそう。金融政策にまつわる法案も多く可決されるのが目立つ年です。経済はどちらかというと政治が主導して牽引することが多いでしょう。

投資活動も活発になる年ですので、経済は好景気になりやすいことも。2012年の六白年は、アベノミクスのおかげで、そこから株価がググッと上がりました。景気が良くなったのを覚えている人も多いのではないでしょうか？　これは、六白のタイミングで政策をとったからこその結果です。

また、リーダーシップを取ろうとする正義感が溢れる人が続出するのも六白の特徴。その延長戦で、国家間の対立も起こりやすい傾向があります（各国がリードしようとするから）。

そして、六白年は人々のプライドが高くなる傾向にあります。その分、人と人との対立が起きやすいという怖さもあるのです。この年だけは、下手に人のプライドを傷つけるのはやめましょう。

幸運のキーワードはコミュニティのリーダーとなることです。この年にリーダーシップをとった行動をしておくと、物事が好転していきます。

【湖の七赤（しちせき）】

（1993年、2002年、2011年、2020年、2029年）

七赤の特徴は『易経』の中にある「兌為澤（だいたく）」という原典から、人格を磨きながら、人と自分の幸せを考えて、生活を豊かにすることが天命。

特徴

- **エンタメが世界を変える**
- **モノや情報が広まりやすい年**
- **人々は癒しを求める年**
- **口が上手なものが成功を掴む年**
- **コミュニティビジネスやフランチャイズがはやる年**
- **エンタメが爆発的にはやる年**

幸運を掴むキーワード

●人に優しく、愛嬌を持って。口の力で人を楽しませよう

「湖の七赤」も五行では六白と同じ「金」なのですが、性質が少し異なります。七赤の原典には『兌為澤（だいたく）』とあり、この「兌」は自然界では、水が集まってできる「澤」を指すのです。よって、「澤」には『集まる』『溜める』という意味があり、同じ金の性質でも「財をためよ」というメッセージがあります。

そして、七赤の年に成功を収める秘訣は、あなたを慕う集まり、つまり「コミュニティ」を活用することです。

一番わかりやすくいえばYouTubeです。人気のあるYouTuberには人が集まり、その結果として、YouTuberによって広告収入が入ります。

前回の七赤の年は２０２０年。この年、芸能人でもYouTubeに参入する人が増えました。この現象は、七赤の影響を受けている結果なのですが、多くの芸能人が成功しています。これは、一般人でも同じです。

事実、私も２０２０年、YouTubeを本格的に始めました。ド素人でしたが、「今年は七赤だから」と言い聞かせ、毎日動画を投稿しました。その結果、２０２０年5月頃から登録者が爆発的に増え、今では15万人もの登録者がいます。

今の会社の売上も、YouTubeで商品の宣伝をしているからこそですし、あなたのとの出会いもきっとYouTubeを通じてですよね。まさに、「やっててよかったYouTube！　笑」です。

次の「七赤の年」は２０２９年。また、コミュニティがはやる年になり、動画配信も活発になります。その時には、また別のＳＮＳがあると思いますが、やらなきゃ絶対損ですので、ぜひ、やっていきましょう。そして、何より大事なのは、**「口を使って、誰かを喜ばせる精神」**です。

トレンドとしては、お笑いなどが例年以上にブームになる可能性を秘めています。癒しと安らぎを求める人も多くなるため、そのテーマに特化したサービスや商品もはやる可能性が高いでしょう。

ビジネスとしてはフランチャイズなどを展開する企業が勢力を増すことも予想されます。湖は横につながるというメッセージでもありますからね。

【山の八白（はっぱく）】
（1992年、2001年、2010年、2019年、2028年）

八白の特徴は『易経』の中にある「艮為山（ごいさん）」という原典によって、私的な執着を抑えて社会や人のために貢献することができれば、いかなる困難にも動揺することがない人生となります。

特徴

- 信仰心を高める年
- 伝統を受け継ぐには最適な年
- 時代を変える革命者が現れる年
- 企業同士の連携（買収・合併）が多くなる年

幸運を掴むキーワード
●山のように不動心を持って。時には革命を

まず、八白の年で重要なポイントの一つ目は「**受け継ぐ**」一年にしてほしいということです。「受け継ぐ」と言われてもピンとこない方もいますよね。では、言い方を変えましょう。仕事であれ私生活であれ、何かを世代を超えてバトンタッチしていくのに最も適した一年が八白の年です。

たとえば、あるプロジェクトの指揮権について、いつ部下に引き継ごうか考えている上司の方。自分のポジションを部下に譲るタイミングを常日頃悩んでいる方。それならば、八白の年こそが最適です。

なぜ、そう言えるのか？

それは、八白の年の〝ある性質〟に由来します。

ズバリ！その性質とは、原典の『易経』にある「艮為山（ごいさん）」です。これは、「伝統や先祖とのつながりを大切にせよ。さすれば大成する」というメッセージです。つまり、これまで自分が大切にしてきたことを、次の世代に託せということ。

八白の年はこれが重要なテーマとなっています。この年に受け継がれたものは、その後も、大切な価値観や思想を壊すことなく、後世に上手に受け継がれていくとされるのです。

ここで何か思い出しませんか・・・？

２０１９年、これ以上ないというほどの、重大なことが受け継がれました。
そう、皇位が継承されました。「平成」から「令和」へ。日本独自の「元号」という文化を、新しい時代へと引き継がせました。
皇室関係ですから、こうした運命学というものを知っていたのでしょうか。

それは定かではありませんが、「受け継ぐ」が重要なテーマである八白の年に皇位継承を実現させました。この事実は、新時代の始まりとして、これ以上ない最高のタイミングだったと言えましょう。

「そろそろ自分も社長引退かな・・・。でもいつやればいいんだろう」
そんな悩みを抱えている方は、ぜひ、八白の年に、一区切りとして次の世代に任せてみてください。

次の山の八白の年は、２０２８年です。まだ結構先のように感じますが、準備だけはしておいた方がいいです。この年に引き継ぐことができれば、未来はきっと明るいものになります。

続いて二つ目の重要テーマをお伝えします。
それは、「横のつながりを大切にしよう」です。さきほど、「受け継ぐ」をひとつめのテーマとしてお話しましたが、これはいわば「縦のつながり」。時代をつなぐものです。しかし、この横のつながりはまた別モノで、言い換えれば「連携」を意識するということになります。プロジェクトや事業をより強化したいと願うならば、常に「連携」を大切にしていく必要があります。

なぜ、そんなことをしていく必要があると思いますか？
それは、山をイメージしてもらえると理解しやすいでしょう。

山脈という言葉があるように、山は連なるからこそ、壮大になる一面があります。それと一緒なのです。つながって、つながって、どんどんひとつのプロジェクトを強化していく。この思考が大切になります。

八白の年は、たこ足を広げるがごとく、いくつも新しいことにチャレンジすると痛い目をみる傾向があります。今あるものを連携して鍛えていく。これを実行してみてください。きっと、より充実した結果になるはずです。

八白の年は、まるで山が噴火するがごとく、大きな革命が起きやすい一年でもあります。連携して強化しても、うまくいかないと判断したときには、思い切って「革命」を起こす気概を持つこと。あなたがイノベーターになるのです。

その勇気さえあれば、あなたは、目の前にある大きな壁を乗り越えることができるでしょう。ただ、注意してほしいことがあります。革命を起こすときは、連携を意識しても、物事がどうしても行き詰まってしまったり、うまくいかなかったりする場合のみです。

ある程度うまくいっていることは、やめてはいけません。状況がどうしても切迫したときのみ、「革命」を起こしてみてください。なにしろ、今あるものを**継続**していくことが命題の八白年です。まずは、継続していくことを努力してくださいね。

【火の九紫】（１９９１年、２０００年、２００９年、２０１８年、２０２７年）

九紫の特徴は『易経』の中にある「離為火（りいか）」という原典で、家系の信仰を受け継ぎ、良き指導者に付いて、優しさと謙虚さを養い飛躍することが天命。

特徴

- ●人々は情熱的になる年（ただし、熱しやすく冷めやすい）
- ●隠れていたものが浮かび上がる（表に出る）年
- ●芸術がブームになる年
- ●余計なものと離別することで運気が舞い込む年

幸運を掴むキーワード
●情熱的かつ感性豊かに

九紫年の最大の特徴は、『これまで隠れていたことが一気に明るみになる』ことです。

1991年に起きた「バブル崩壊」。

これは、九紫年による「全てを明るみにする力」によって、土地神話の実態が見える化したと捉えてよいでしょう。

これまで抑圧されていた反動もあるとは思いますが、九紫の年ならではの「人々の熱い気質」こそが、これまでのソ連の在り方を変えたのだと推測できるのです。

また、『易経』の中にある「離為火（りいか）」の作用には、「これまで存続していたもの、くっついていたものが離れる」という性質もあります。この作用も、ソ連崩壊という事象に何かしら影響していることでしょう。

自然災害については、火山の噴火が顕著です。2018年の火の九紫年は、異常に火山の噴火が目立ちました

- 3月6日　霧島連山新燃岳（九州）で爆発的噴火が発生
- 5月3日　キラウエア火山（ハワイ島）で噴火が発生
- 6月28日　アグン山（インドネシア・バリ島）で噴火が発生
- 7月26日　マナロ火山（バヌアツ共和国）で大規模な噴火が発生

大規模噴火が4つもあったのです。

ここ近年では、一年でこんな数の噴火はありません。

また九紫の夏はかなり熱い夏になります。

2018年の九紫の夏、深刻化し始めたのが「水不足」でした。

山形県の米沢市では、7月の降水量はわずか44・5ミリで、米沢市の水がめである綱木川ダムの貯水率は、8月時点でなんと平年の4割以下と水不足の状態に。同時に、関東の利根川上流のダム群で、一番に大きい八木沢ダムも貯水率が低下したというニュースもありました。全国的に水不足や干ばつを引き起こしたのです。1964年、関東地方での歴史的な渇水「オリンピック渇水」が起こりましたが、この1964年も「火の九紫」の年でした。

「火の九紫」の年に注目すべきポイントはまだあります。

『艶やかで華美なファッション』が話題を呼ぶ年ということです。

「火の九紫」の特性でもある『美』を意識する力。それが、地球規模で働き、人々に反映される傾向が強くあります。ファッションは機能性よりも見た目が重視されます。九紫の一年は人々の気持ちが高揚するので、ちょっと派手目なファッションが流行る傾向にあるのです。

さらには、「火の九紫」の年には、芸能人・著名人・経済人・政治人たちのスキャンダルも例年より多くなる傾向があります。前回の「火の九紫」の年、２００９年でも、プロゴルファーのタイガーウッズの不倫騒動、鳩山由紀夫首相（当時）の資金管理団体をめぐる偽装献金問題などが明るみになりました。

幸運を掴むキーワードは「情熱的に、かつ感性豊かに」です。感性豊かにするために、例年以上に美術などに触れておくのもいいでしょう。

２０２１年～２０２４年の傾向

それぞれのナインコードの年の特徴が分かりましたか？

これであなたは十干十二支とナインコードの特性を知りました。

それを踏まえ、２０２１年～２０２４年、十干十二支・ナインコードで見る傾向を覗いていきましょう。


２０２１年～２０２２年は過去の答え合わせになりますが、あなたなりに少し昔を思い出しながら、その年の出来事を当てはめてみましょう。

【2021　辛丑（かのとうし）天の六白】

特徴●辛さを伴って世の中が激変

紆余曲折しながらも挑戦と失敗を繰り返した人物だけが成功を収める

【辛】　辛い時の中で新しい人生観を持つ

【丑】　物事を結ぶ力が発揮されるとき。物事をはじめても、なかなかうまくいかない。創造性を高めることが成功の鍵

【天の六白】　リーダーシップを発揮する。政府主導でお金が回り投資も活発に

【2022　壬寅（みずのえとら）ガイアの五黄】

特徴●人の想いがふくらみ、つながる（伝承）とき

信頼できる人物を見出し、次へとつながる志を大切にするとき。想いを表面化し、一気に伸び進むことができれば成功を手にできる

【壬】　課題を一つ一つ解決しよう。信頼できる人を見極めよ

【寅】　伸び進む時期　秘蔵された潜在的な意思が一気に発動

【ガイアの五黄】　社会は強いエネルギーに包まれる。意志の強さがそのまま成功の要因に

【2023　癸卯（みずのとう）風の四緑】

特徴●綿密な計画と実行が成功カギに

見切り発車は要注意。これまでの困難な課題を解決し未開拓の地を開拓すれば、人生を豊かにできる

【癸】　原理原則に従い計画・実行するとき。後手に回ると衰退の道へ

【卯】　未開拓の地を「開拓」するとき。事業が軌道に乗る時期

【風の四緑】　「選択と集中」が成功の近道。遠方にチャンスがあり。社会は執着心が薄くなり、新しいものに関心を寄せる。平和や平等意識が国民に高まる

【2024　甲辰（きのえたつ）雷の三碧】

特徴●新しい法則やルールが誕生するとき

社会は活力に満ち溢れ、勇気をもって奮い立つことで機運が回ってくる
潜在化されていたものが社会に浸透し始め、新時代の本格的なスタートに

【甲】　はじまりの時間　新しいルールを作ろう
【辰】　活力に満ち溢れているときで「奮い立つ」時期
　色々な問題が発覚する時期、障害物を除去する時期
【雷の三碧】　社会は感性豊かになり、個々人の行動力が高まる

第5章

バイオリズムの秘密

生まれ年別ナインコード早見表

水の 一白	大地の 二黒	雷の 三碧	風の 四緑	ガイアの 五黄	天の 六白	湖の 七赤	山の 八白	火の 九紫
1918年 T7年	1917年 T6年	1916年 T5年	1915年 T4年	1914年 T3年	1913年 T2年	1912年 T元年	1911年 M44年	1910年 M43年
1927年 S2年	1926年 S元年	1925年 T14年	1924年 T13年	1923年 T12年	1922年 T11年	1921年 T10年	1920年 T9年	1919年 T8年
1936年 S11年	1935年 S10年	1934年 S9年	1933年 S8年	1932年 S7年	1931年 S6年	1930年 S5年	1929年 S4年	1928年 S3年
1945年 S20年	1944年 S19年	1943年 S18年	1942年 S17年	1941年 S16年	1940年 S15年	1939年 S14年	1938年 S13年	1937年 S12年
1954年 S29年	1953年 S28年	1952年 S27年	1951年 S26年	1950年 S25年	1949年 S24年	1948年 S23年	1947年 S22年	1946年 S21年
1963年 S38年	1962年 S37年	1961年 S36年	1960年 S35年	1959年 S34年	1958年 S33年	1957年 S32年	1956年 S31年	1955年 S30年
1972年 S47年	1971年 S46年	1970年 S45年	1969年 S44年	1968年 S43年	1967年 S42年	1966年 S41年	1965年 S40年	1964年 S39年
1981年 S56年	1980年 S55年	1979年 S54年	1978年 S53年	1977年 S52年	1976年 S51年	1975年 S50年	1974年 S49年	1973年 S48年
1990年 H2年	1989年 H元年	1988年 S63年	1987年 S62年	1986年 S61年	1985年 S60年	1984年 S59年	1983年 S58年	1982年 S57年
1999年 H11年	1998年 H10年	1997年 H9年	1996年 H8年	1995年 H7年	1994年 H6年	1993年 H5年	1992年 H4年	1991年 H3年
2008年 H20年	2007年 H19年	2006年 H18年	2005年 H17年	2004年 H16年	2003年 H15年	2002年 H14年	2001年 H13年	2000年 H12年
2017年 H29年	2016年 H28年	2015年 H27年	2014年 H26年	2013年 H25年	2012年 H24年	2011年 H23年	2010年 H22年	2009年 H21年
2026年 R8年	2025年 R7年	2024年 R6年	2023年 R5年	2022年 R4年	2021年 R3年	2020年 R2年	2019年 R1年	2018年 H30年

<確認の仕方>
上の早見表から、自分の生年月日をもとに「水の一白」から「火の九紫」のどこにあてはまるかを確かめてください。

(例) 2005年11月11日生まれ＝「風の四緑」
※注意点
1月1日〜2月節分の日（通常は2月3日）生まれの人は、前年の『9code』になります。

(例) 2005年2月1日生まれ＝前年の9code→「ガイアの五黄」

バイオリズムとは？

ナインコードには「バイオリズム」というものがあります。それに素直に従うことで、運勢をより良くすることができるのです。

バイオリズムとは、四季と同じで、全ての人に平等に巡ってきます。運勢とは文字通りに**「運に勢い」**がつく時期です。人間にも自然界と同じ様に春夏秋冬の四季があります。

水の一白、大地の二黒、雷の三碧、
風の四緑、ガイアの五黄、天の六白、
湖の七赤、山の八白、火の九紫。

それぞれの詳細は割愛しますが、人は９つの属性に分けることができ、それぞれで今いるバイオリズムが異なります。

九年周期で巡るので自然界の法則と同じように種まきは春にやらないといけません。冬に種をまいても芽は出ません。つまり、大きな決断（転職、開業、結婚など）は、冬は絶対にしてはいけません。正しい思考ができていないからです。自分に勢いのつく春や夏にするのがオススメです。

植物の種を想像してください。

冬に種まいても芽が出ませんよね？

人間には９年で春夏秋冬の周期があります。

春の時期に畑を耕して種をまきます。夏に育て上げ（草取りをして）、自分が手入れをした分に見合った収穫が秋にあります。冬の時期は身体の状態も運気も停滞するので無理は何事もせず、それまでやってきたことを続けましょう。新しい事はしてはいけません。春から何をするか考えて、準備をするときです。

春　陰５年〜陽２年（種を巻く時期）
夏　陽３年〜陽４年（育てる時期）
秋　陽５・陰１年〜陰２年（収穫する時期）
冬　陰３年〜陰４年（蓄え、次に向かって計画する時期）

この四季を上手に利用する方が人生を豊かにしている方です。
２０２３年でいえば、陽１年にいる一白の人は新しいことを始める種まきの時期です。陽４年にいる四緑の人はパワーが溢れているので今を全力に過ごすとき、休んでなんかいられません。陰２年にいる六白の人は、何かしらのいい結果が出る収穫のとき（種まきをしていない人は出ない）。陰５年にいる九紫の人は、無謀なことは絶対にしてはいけない休息の時期にあたります。

たとえば、天の六白でこれまできちんと頑張ってきた人は、２０２３年は秋の収穫期（陰２年・七赤の部屋）にいて、９年間で最高の幸運がきます。六白の代表的な人といえば大谷翔平選手。ＷＢＣでの優勝や、ホームラン王獲得など最高の収穫を得ました。最近では元フィギュアスケートの羽生結弦さんの結婚。これも立派な収穫です。

体調も運勢も９年に一度の冬眠の時期がやってきます。バイオリズムでいうと陰５年になります。バイオリズムを知っている人やツイている人は、自分にしてはちょっと停滞しているなと感じる程度ですが、何も知らない無知の人は冬の時期はかなり気をつけないと「私って何て不幸なの」と感じるくらい身体も運気もマイナスになります（実は、私も２０２３年は陰５年でした）。

この時期は運気がガクッと落ちてしまいますが、気にする必要はありません。睡眠と休養をしっかりと取り、学びを深めることで翌年から活きてきます。

陽１年～陰５年まで、それぞれのバイオリズムで気をつけるべきポイントがあります。以下、まとめましたので参考にしてください。

各バイオリズムで気をつけるべきポイント

陽1年

「無償の愛」が最大のテーマ（見返りは求めない）。縁の下の力持ちになることを徹底しよう。睡眠をしっかりと取って体力を保とう。何でもやりすぎはダメ。じっくりペースを調整して動くこと。

【学ぶべきこと】 新しい学問（種まき）
【実践すべきこと】 人への支援
【幸運のキーワード】 落ち着いた行動

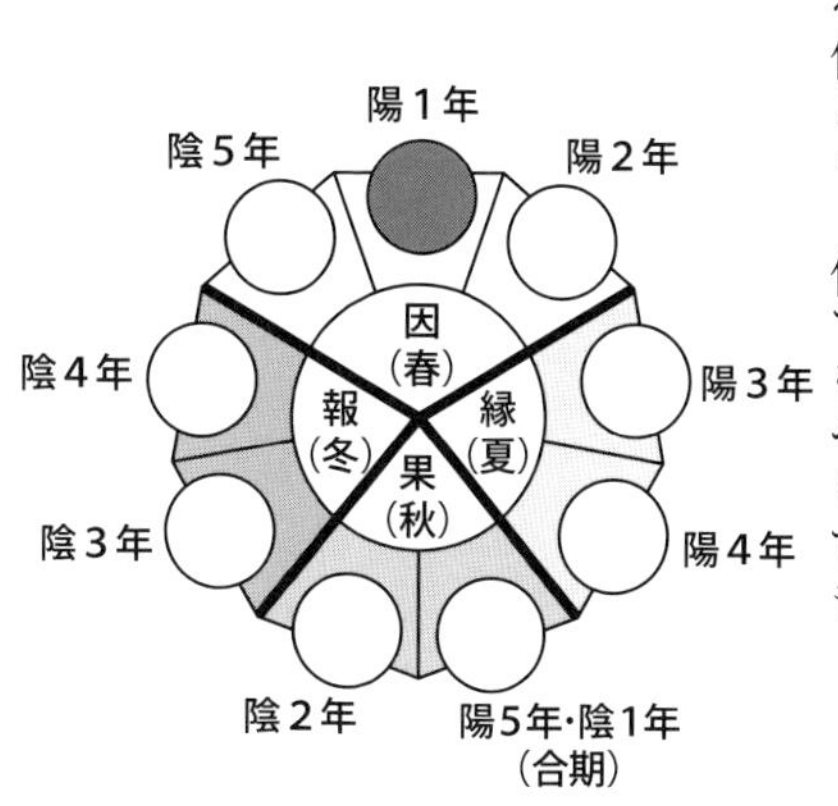

陽2年

夢を明確に描きながら何でもチャレンジを続けよう。何か新しいことを「最低3つ」は始めること。流行に敏感になることが大切なので、SNSや流行雑誌をチェックして、トレンドを押さえましょう。

【学ぶべきこと】スピードと行動力（感性を磨く）
【実践すべきこと】流行のチェック・トレンド発信
【幸運のキーワード】最新のアイテム

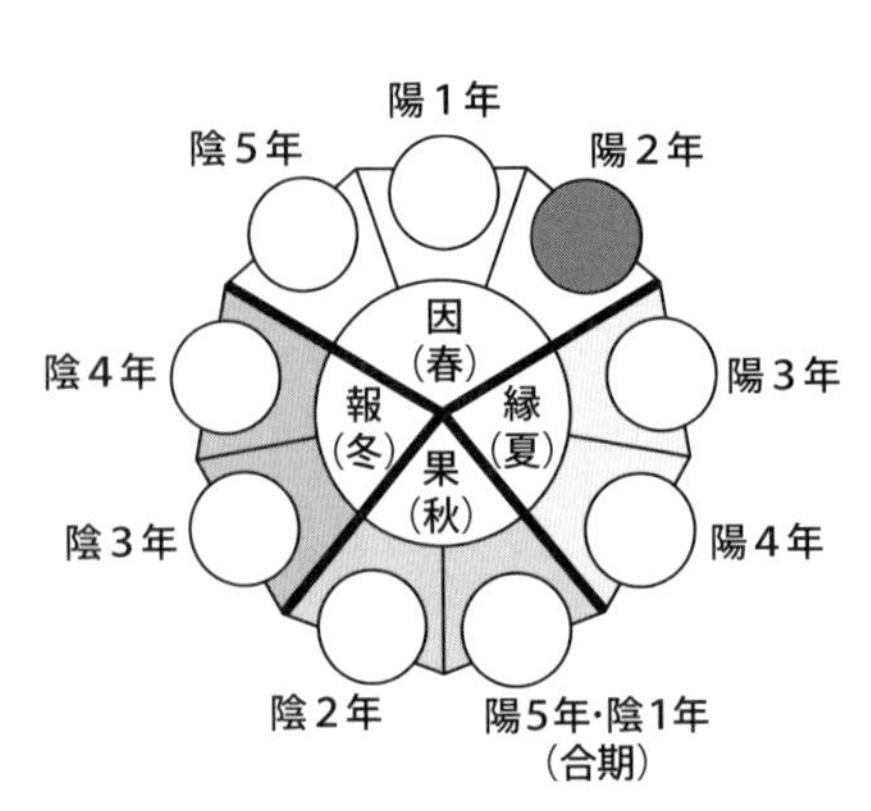

陽3年

影響力を持った人になることが使命。情報を常に追い求め、人様の役に立つように編集して発信せよ。絶好調な一年のため、仕事を頑張ろう。ここで怠けると成長が遅くなる。人との縁をつなぐことを意識し「報・連・相」を徹底することで運気がやってくる。遠方（海外）へ出かけて視野を広めることも忘れずに。

【学ぶべきこと】影響力の磨き方
【実践すべきこと】たゆまぬ情報発信
【幸運のキーワード】旅

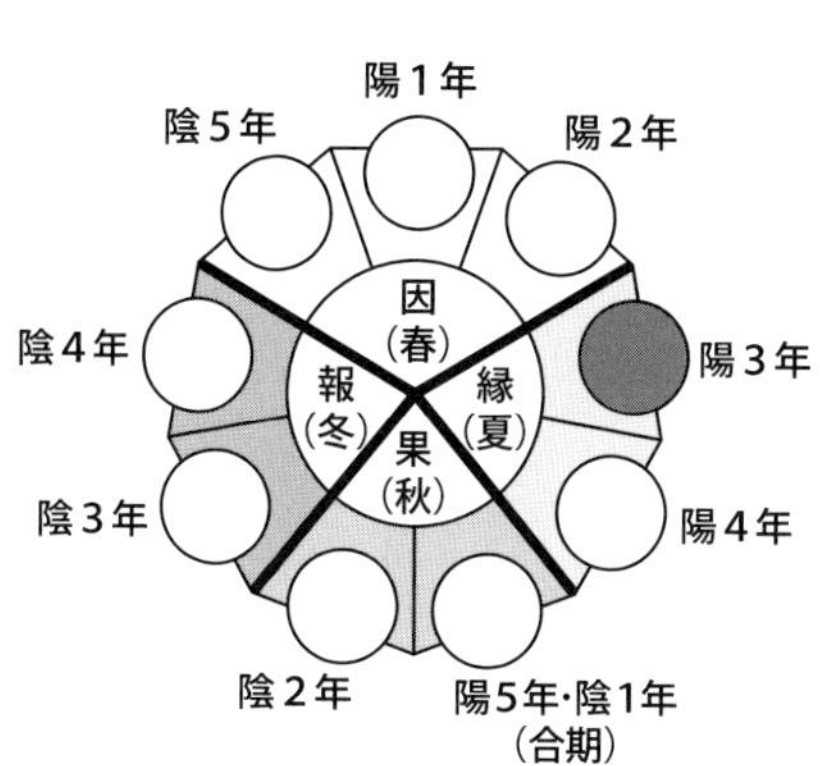

陽4年

９年に一度のトップスピード期。あなたを止めるものは誰もいません。やりたいことは躊躇なしに全部やる。これが成功の秘訣になります。ネバーギブアップの精神を忘れずに。「破壊と創造」がテーマ。お金やモノ、名誉にこだわらずに、何事も実践ありきで行動しましょう。多少寝なくても大丈夫なので、とにかく仕事にプライベートに充実させましょう。

【学ぶべきこと】思い立ったもの全部（起業もベスト）
【実践すべきこと】破壊と創造
【幸運のキーワード】人脈

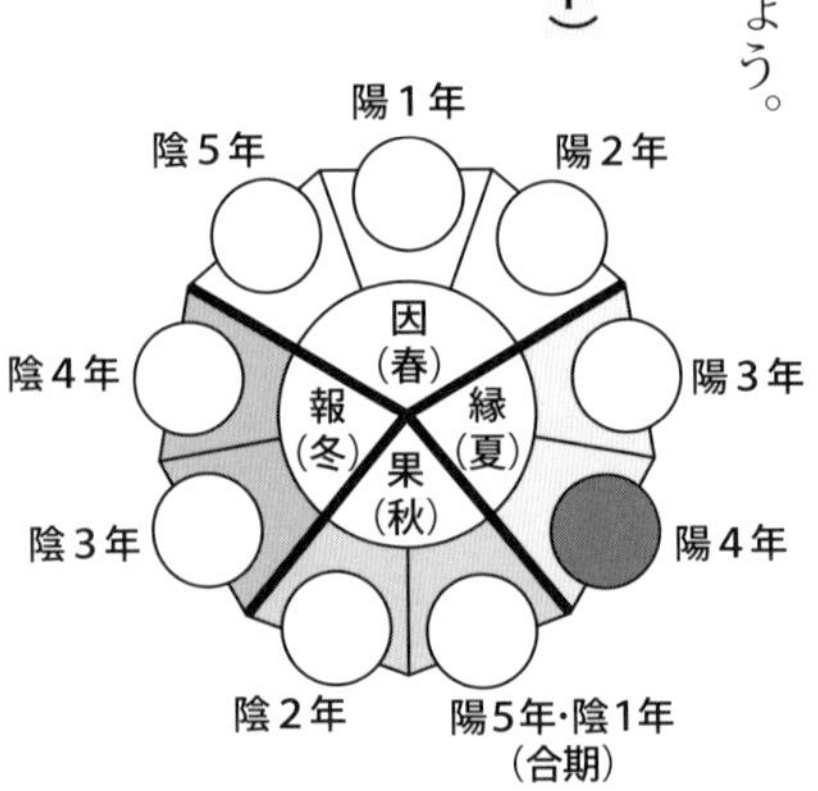

陽５年・陰１年

リーダーシップを発揮しつつ、強い意志で物事を推進していこう。ただし、「過剰」と「慢心」には要注意。過剰にやりすぎて体を壊すのも、慢心して足元をすくわれるのもこの一年。正義感を忘れずに、バランスよく行動しよう。

【学ぶべきこと】自己改革の方法
【実践すべきこと】リーダーシップ
【幸運のキーワード】日々の運動

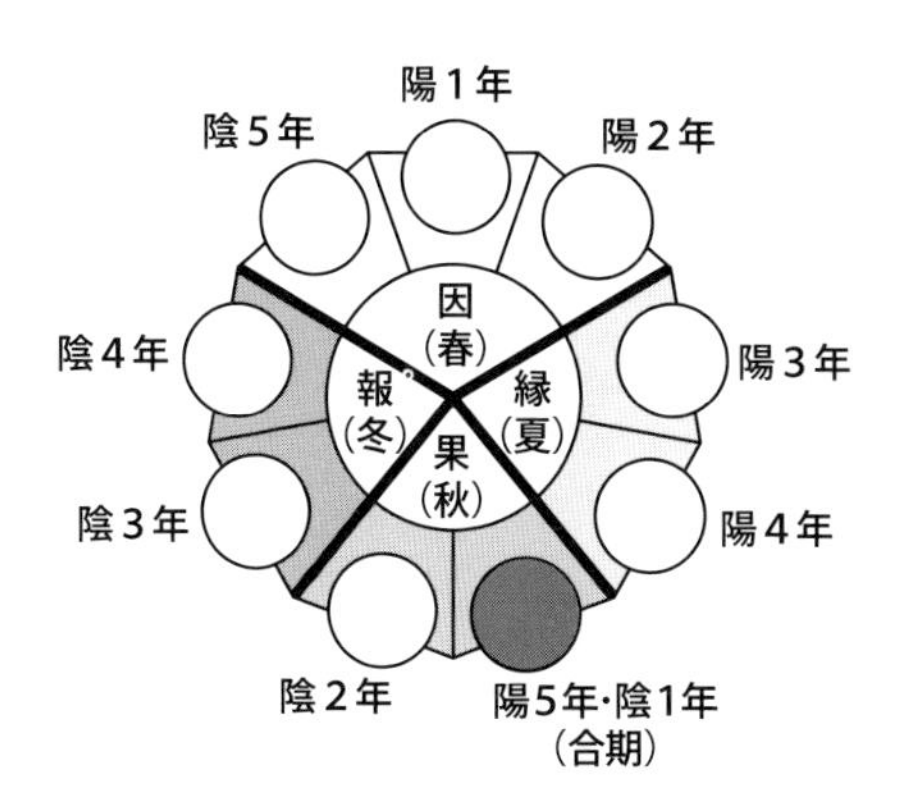

陰2年

待ちに待った収穫の時。あなたは何を収穫しますか？何を収穫したのかを意識しながら過ごす一年。そして、トーク力を磨き、「口」で人を喜ばせるのがテーマ。モノや情報を人に伝える訓練を徹底してやろう。何事もゆったりと構え、落ち着きを持って行動しよう。

【学ぶべきこと】トーク力　表現力
【実践すべきこと】ＳＮＳでの情報発信
【幸運のキーワード】エンタメ

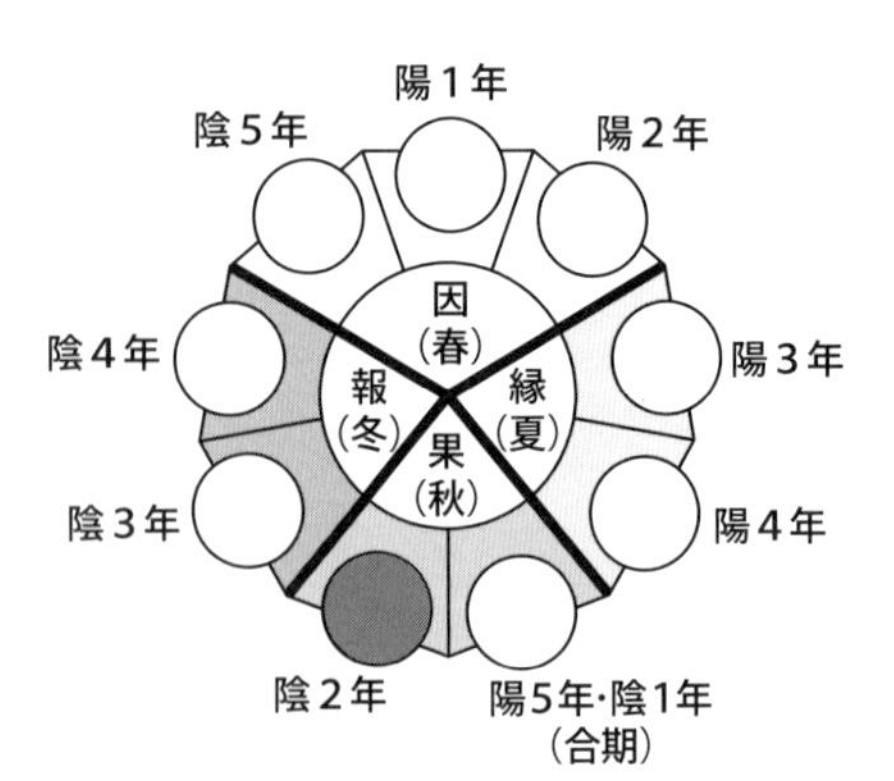

陰3年

９年に一度の革命の年。イノベーションが命題。何か大きな変革をする一年となります。自分のフィールドをもってどっしりと構えるのも良い。頑固にならないように気を付けましょう。

【学ぶべきこと】自己改革
【実践すべきこと】イノベーション　他者との連携
【幸運のキーワード】祈り

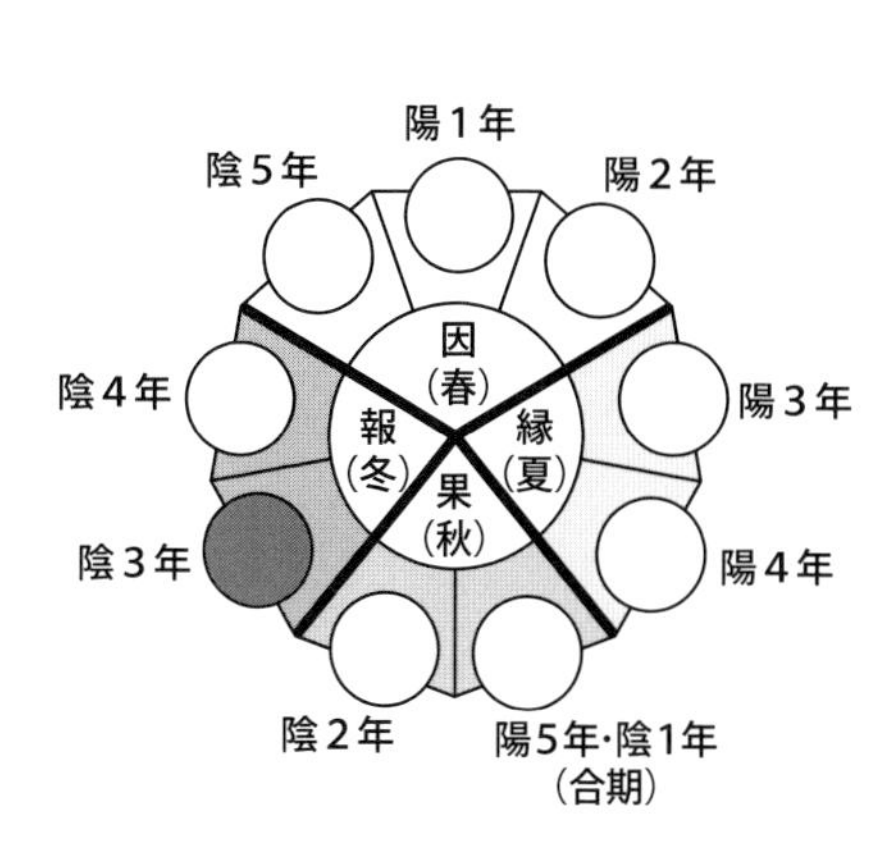

陰4年

発明家になる一年。熱い情熱を持って、先見の明を磨き、アイデアで勝負していこう。いつもメモ帳を持って、思いついたことをメモしよう。表現力を磨き、情報発信にも力を入れる年。創作活動に力を入れよう。専門的なことに集中してやってみよう。

【学ぶべきこと】アイデアの作り方
【実践すべきこと】表現活動　創作活動
【幸運のアイテム】芸術品

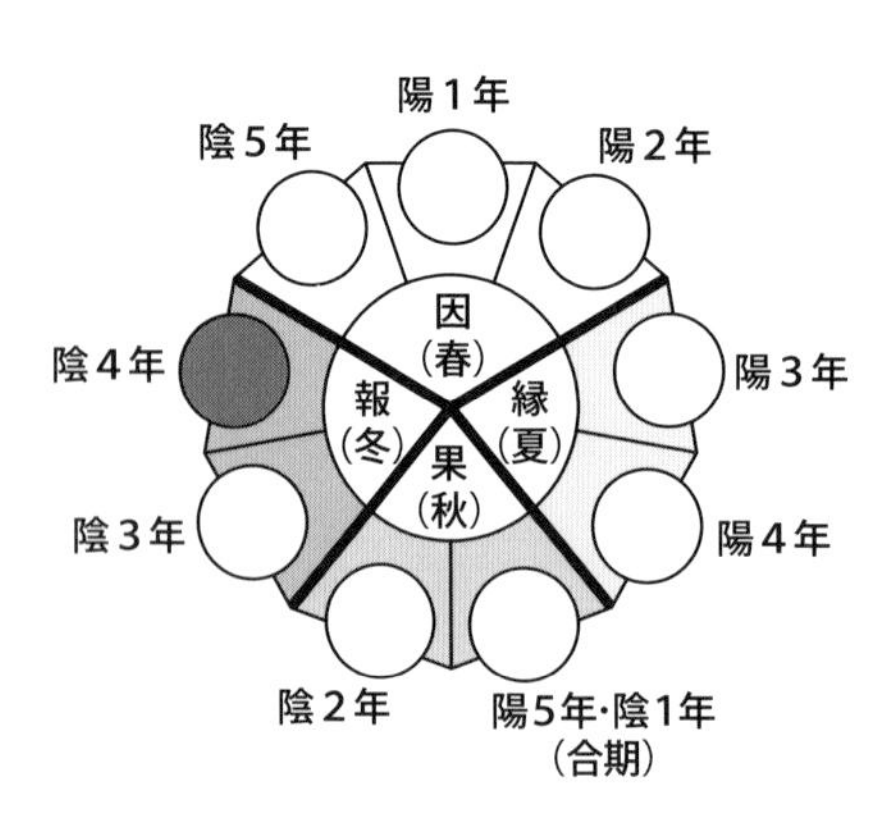

陰５年

エネルギーは落ち、頭の冴（さえ）はなくなります。無闇に新しいチャレンジはしてはいけません。バイオリズムがよい参謀を雇い、意志判断は任せましょう。心を静め、睡眠を十分に取ろう。モノ忘れ、うっかりミスが多発するので注意。栄養を十分取り、健康を心がけましょう。未来への計画表を作成しよう。

【学ぶべきこと】来年に向けてのインプット
【実践すべきこと】健康を意識した生活
【幸運のアイテム】快眠グッズ

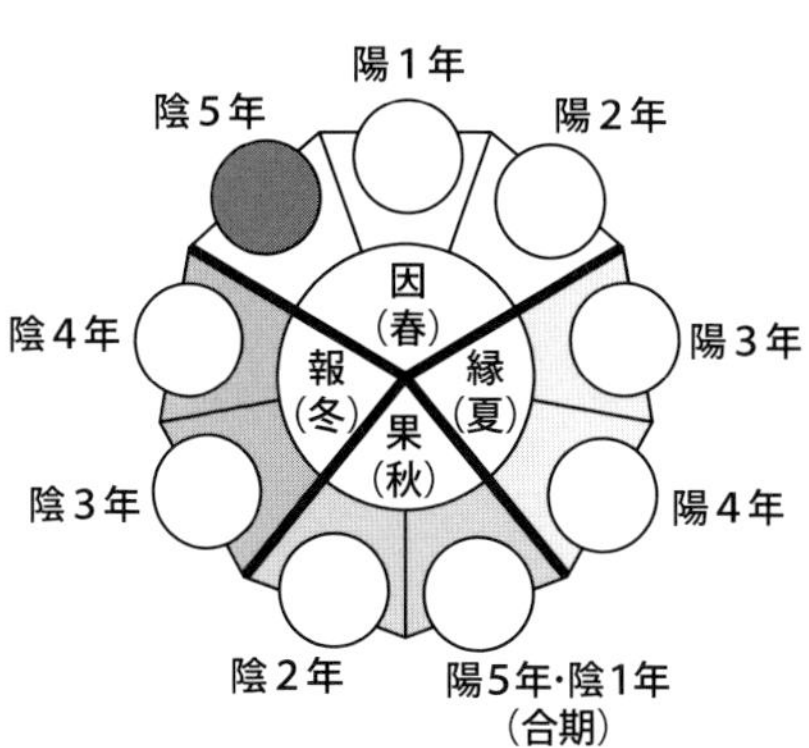

補足

陽１年～陰５年まで、一年周期で回ってきます。例えば、水の一白の人は２０２４年は陽２年、２０２５年は陽３年になります。念のため２０２４年のそれぞれのナインコードのバイオリズムを載せておきます。参考にしてください。

２０２４年バイオリズム（２０２４年２月３日～２０２５年２月２日）

水の一白　陽２年
大地の二黒　陽３年
雷の三碧　陽４年
風の四緑　陽５年・陰１年
ガイアの五黄　陰２年
天の六白　陰３年
湖の七赤　陰４年
山の八白　陰５年
火の九紫　陽１年

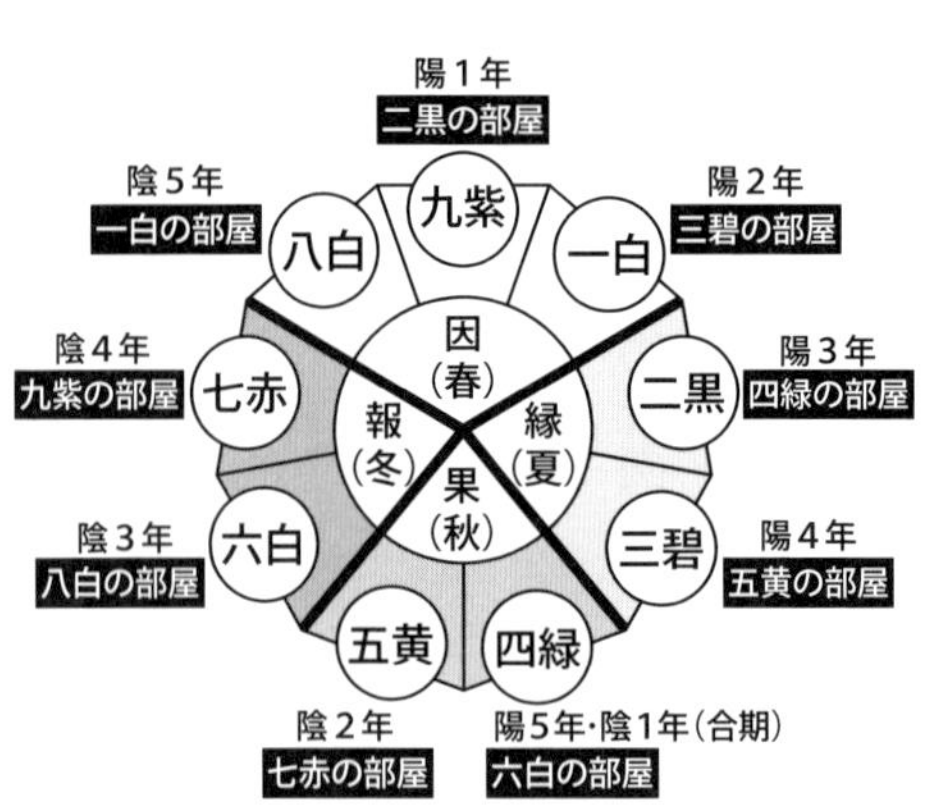

部屋の概念

ここからは「部屋の概念」についてお話ししましょう。

実は、一人一人バイオリズムによって、所属する部屋というのがあります。その部屋によって、今、受けている波動であったり、やるべきことやってはいけないことがさらにはっきりとわかるのです。

例として、２０２３年の各ナインコードの部屋をお教えましょう。

水の一白の人　**二黒の部屋**に入る
大地の二黒の人　**三碧の部屋**に入る
雷の三碧の人　**四緑の部屋**に入る
風の四緑の人　**五黄の部屋**に入る

ガイアの五黄の人　**六白の部屋**に入る
天の六白の人　**七赤の部屋**に入る
湖の七赤の人　**八白の部屋**に入る
山の八白の人　**九紫の部屋**に入る
火の九紫の人　**一白の部屋**に入る

※２０２３年以降のバイオリズムも掲載しておきます。９年でひとまわりします。

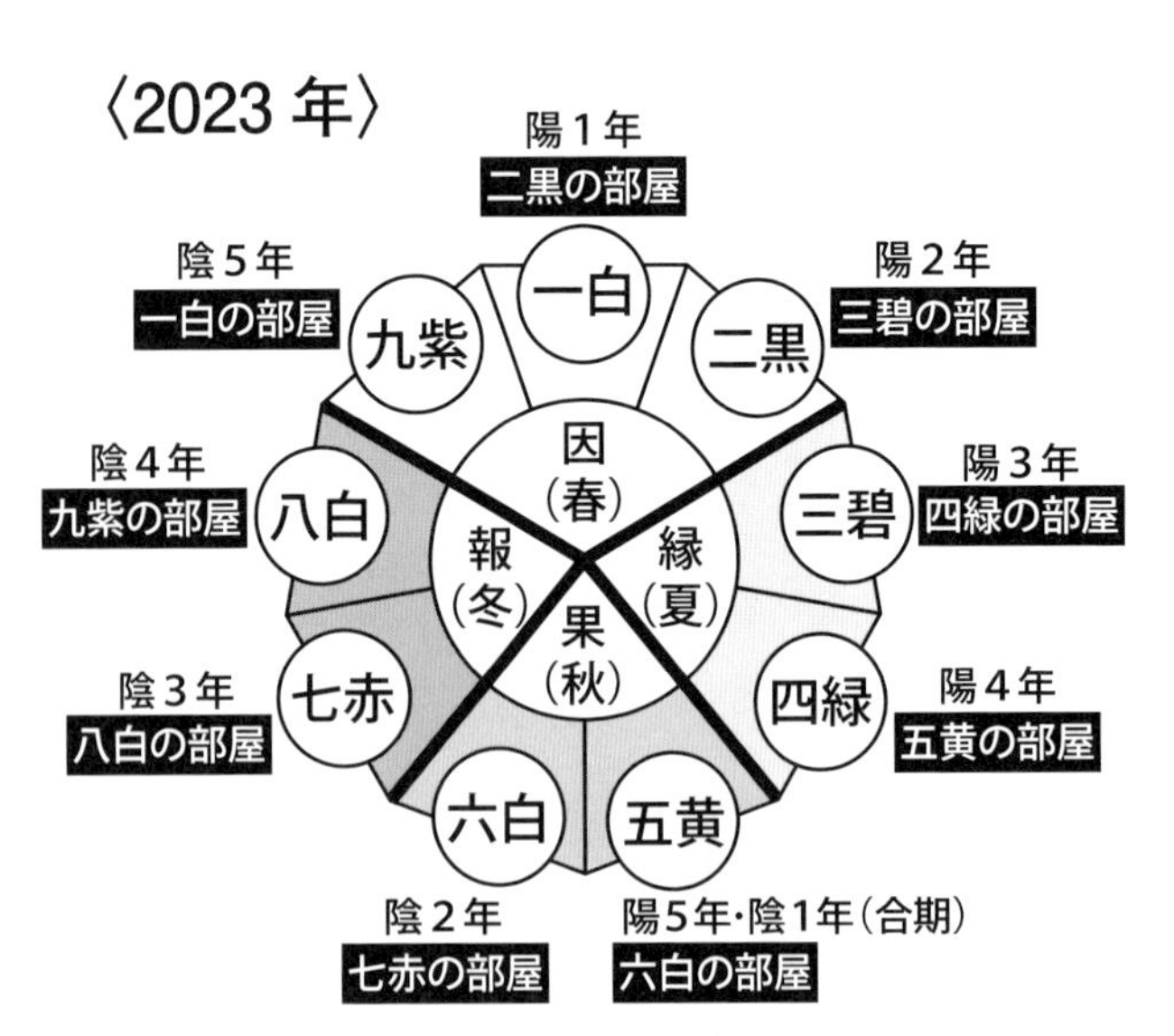

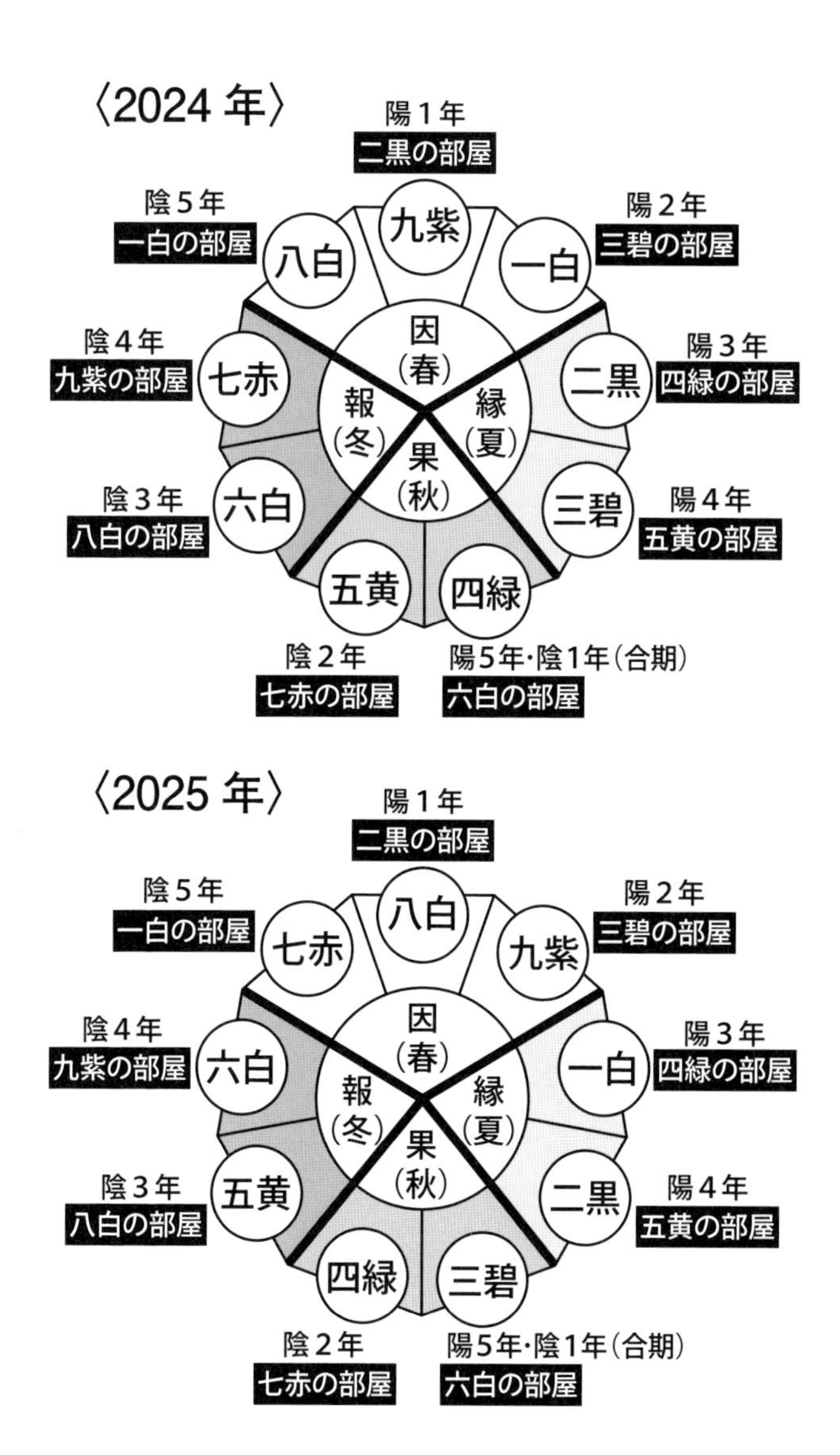
〈2024 年〉
陽１年
二黒の部屋
陽２年
三碧の部屋
陽３年
四緑の部屋
陽４年
五黄の部屋
陽5年･陰1年（合期）
六白の部屋
陰２年
七赤の部屋
陰３年
八白の部屋
陰４年
九紫の部屋
陰５年
一白の部屋
九紫
一白
二黒
三碧
四緑
五黄
六白
七赤
八白
因
（春）
縁
（夏）
果
（秋）
報
（冬）
〈2025 年〉
陽１年
二黒の部屋
陽２年
三碧の部屋
陽３年
四緑の部屋
陽４年
五黄の部屋
陽5年･陰1年（合期）
六白の部屋
陰２年
七赤の部屋
陰３年
八白の部屋
陰４年
九紫の部屋
陰５年
一白の部屋
八白
九紫
一白
二黒
三碧
四緑
五黄
六白
七赤
因
（春）
縁
（夏）
果
（秋）
報
（冬）

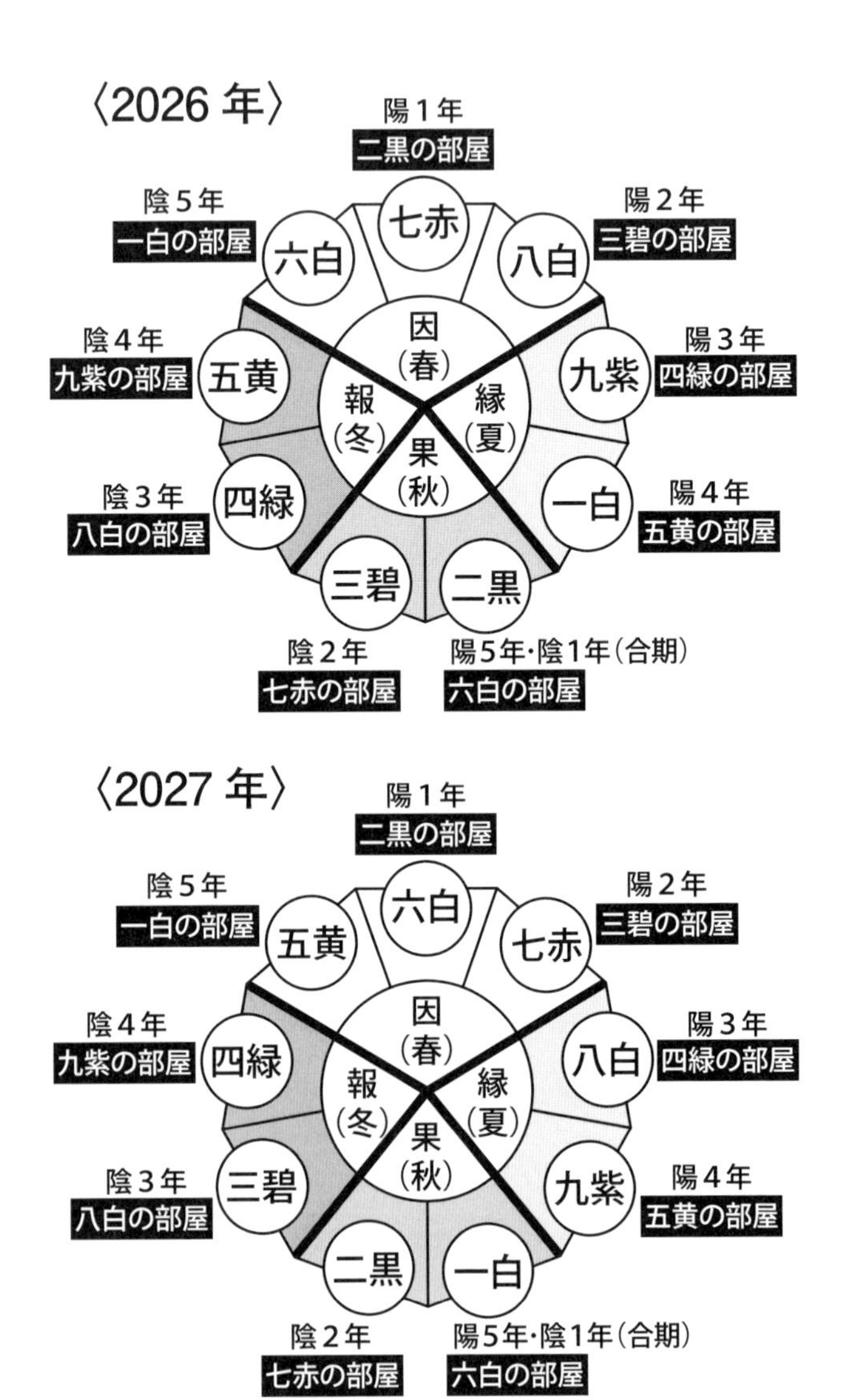
〈2026 年〉
陽 1 年
二黒の部屋
陰 5 年
一白の部屋
陽 2 年
三碧の部屋
七赤
六白
八白
陰 4 年
九紫の部屋
五黄
因
(春)
報
(冬)
縁
(夏)
果
(秋)
九紫
陽 3 年
四緑の部屋
陰 3 年
八白の部屋
四緑
一白
陽 4 年
五黄の部屋
三碧
二黒
陰 2 年
七赤の部屋
陽5年･陰1年(合期)
六白の部屋
〈2027 年〉
陽 1 年
二黒の部屋
陰 5 年
一白の部屋
陽 2 年
三碧の部屋
六白
五黄
七赤
陰 4 年
九紫の部屋
四緑
因
(春)
報
(冬)
縁
(夏)
果
(秋)
八白
陽 3 年
四緑の部屋
陰 3 年
八白の部屋
三碧
九紫
陽 4 年
五黄の部屋
二黒
一白
陰 2 年
七赤の部屋
陽5年･陰1年(合期)
六白の部屋

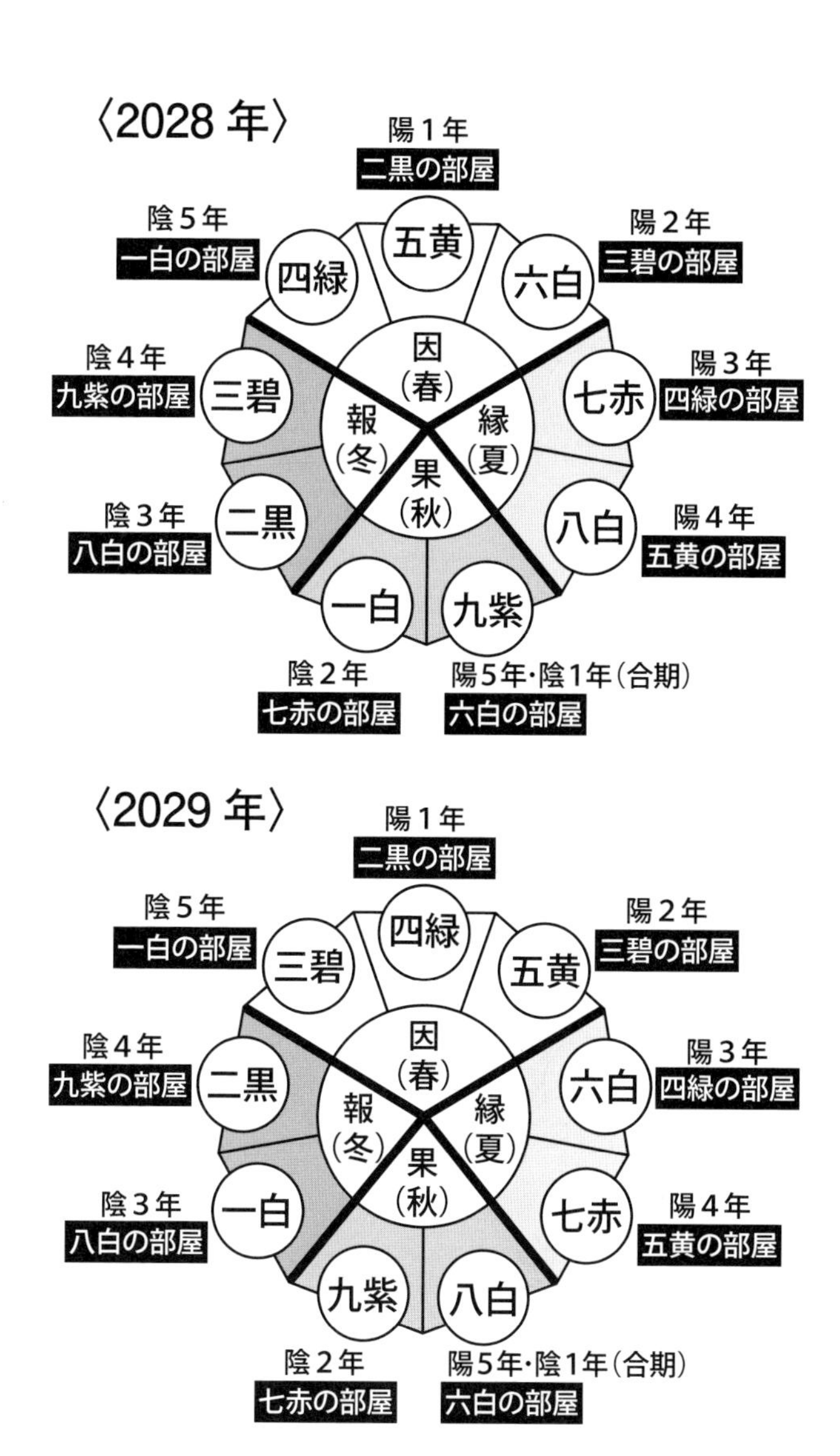
〈2028年〉
陽1年
二黒の部屋
陰5年
一白の部屋
陽2年
三碧の部屋
陰4年
九紫の部屋
陽3年
四緑の部屋
陰3年
八白の部屋
陽4年
五黄の部屋
陰2年
七赤の部屋
陽5年・陰1年（合期）
六白の部屋
五黄
六白
七赤
八白
九紫
一白
二黒
三碧
四緑
因（春）
縁（夏）
果（秋）
報（冬）
〈2029年〉
陽1年
二黒の部屋
陰5年
一白の部屋
陽2年
三碧の部屋
陰4年
九紫の部屋
陽3年
四緑の部屋
陰3年
八白の部屋
陽4年
五黄の部屋
陰2年
七赤の部屋
陽5年・陰1年（合期）
六白の部屋
四緑
五黄
六白
七赤
八白
九紫
一白
二黒
三碧
因（春）
縁（夏）
果（秋）
報（冬）

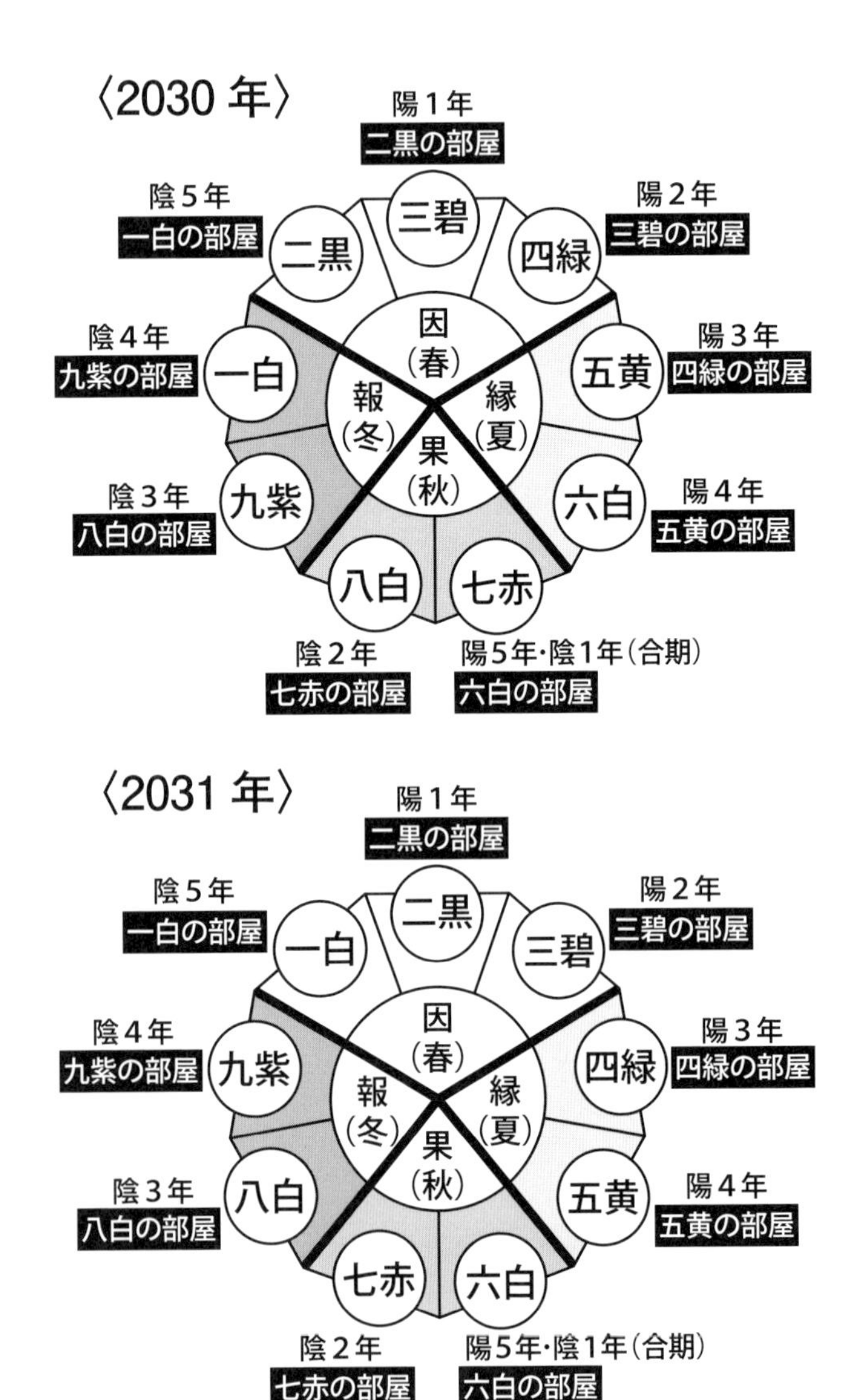
〈2030年〉
陽1年
二黒の部屋
陽2年
三碧の部屋
陽3年
四緑の部屋
陽4年
五黄の部屋
陽5年・陰1年（合期）
六白の部屋
陰2年
七赤の部屋
陰3年
八白の部屋
陰4年
九紫の部屋
陰5年
一白の部屋
三碧
四緑
五黄
六白
七赤
八白
九紫
一白
二黒
因（春）
縁（夏）
果（秋）
報（冬）
〈2031年〉
陽1年
二黒の部屋
陽2年
三碧の部屋
陽3年
四緑の部屋
陽4年
五黄の部屋
陽5年・陰1年（合期）
六白の部屋
陰2年
七赤の部屋
陰3年
八白の部屋
陰4年
九紫の部屋
陰5年
一白の部屋
二黒
三碧
四緑
五黄
六白
七赤
八白
九紫
一白
因（春）
縁（夏）
果（秋）
報（冬）

時読み
ビジネスプラン

一白の部屋

「水の一白の部屋」（以下「一白の部屋」）です。【陰5年】にあたります。「一白の部屋」にいるときのあなたに与えられた命題は多々ありますが、特に気をつけてほしいポイントは3つです。

●体と頭を休めるために休養をしっかりとること
●頑固にならずに、明るく柔軟な心を持つこと
●とにかくメモをとること

これは「水の一白人」の大事な特性です。そして、彼らが自分の人生を好転へと導くために大切にすべきポイントでもあります。この部屋（一白の部屋）にいる人は、この3つだけはしっかり押さえてほしいのです。「水の一白」の特性を意識した心構えを持ち、行動をとることで、【陰5年】の一年に対して、

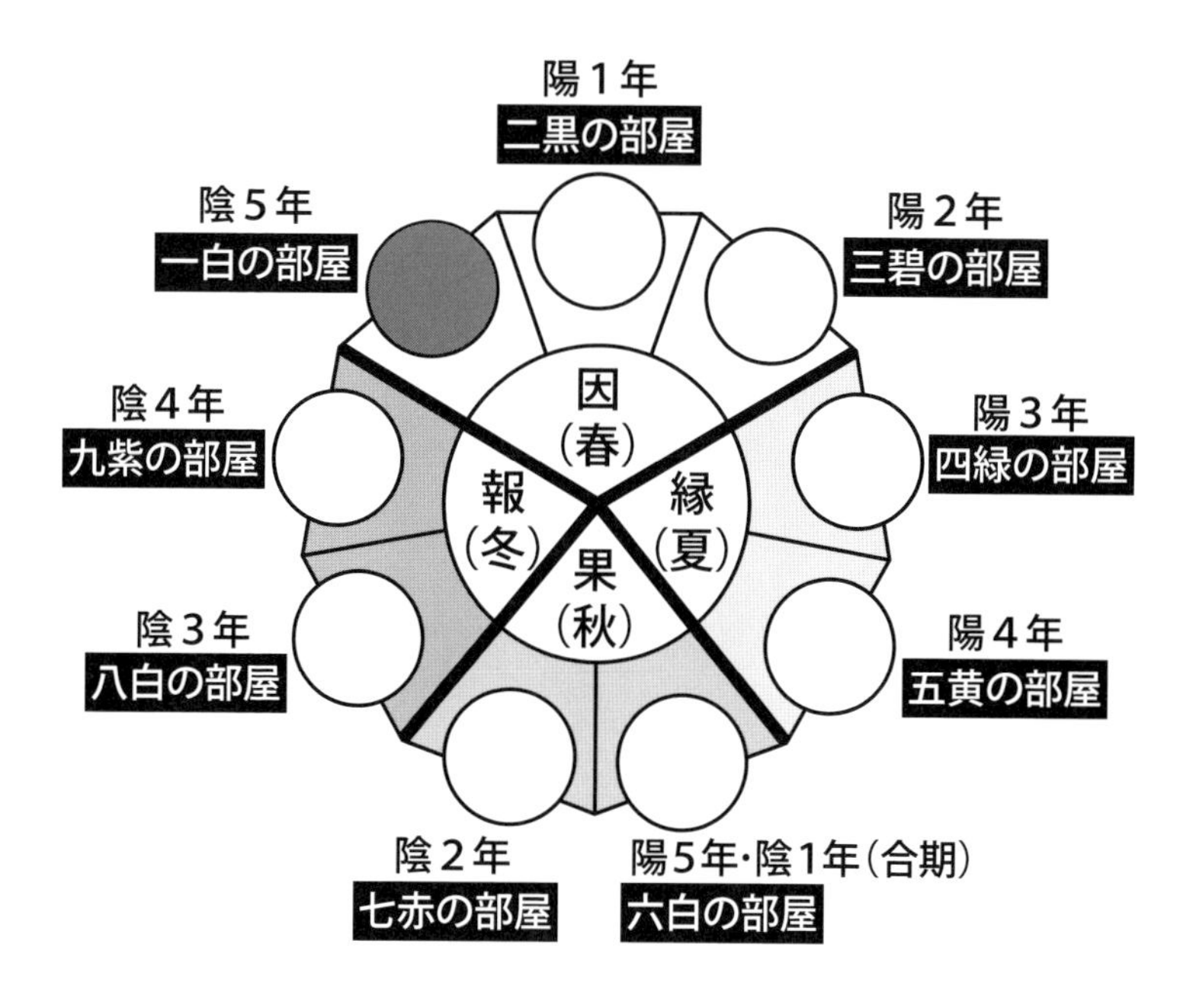
陽１年
二黒の部屋
陽２年
三碧の部屋
陽３年
四緑の部屋
陽４年
五黄の部屋
陽５年・陰１年（合期）
六白の部屋
陰２年
七赤の部屋
陰３年
八白の部屋
陰４年
九紫の部屋
陰５年
一白の部屋
因
（春）
縁
（夏）
果
（秋）
報
（冬）

成功への道がグッと開けます。

そして、重要なことがもうひとつ。

もし、あなたがいま「一白の部屋」にいるならば、可能な限り、「水の一白人」と接してみてください。なぜなら、【陰5年】において、あなたがお手本（先生）にすべきは、「水の一白人」だからです。

３６５日毎日、「水の一白人」として、その特性を発揮し続けているのですから、今年のあなたにとっての大先生です。

著名人はもちろん、あなたの身近な人でもいいです。有名な「水の一白人」が書いた本を読むでもいいですし、講演会を聞きに行くでもいいのです。見習うべき「水の一白人」を見つけ、その人の思考や行動を参考にするだけでも、失敗やミスのない、充実した【陰5年】を過ごすための「心構え・行動の指針」としてのヒントが必ずあるはずです。

ぜひ、そのヒントを学び、強運に満ち溢れた最高の【陰５年】を過ごしましょう。そして、「水の一白」としての素晴らしき人間性も、この一年で身に着けてください。

「一白の部屋」にいる人は、バイオリム的には【陰５年】の位置にいます。【陰５年】は９年に一度、エネルギーをチャージすべき時期であり、体が疲れやすいときです。

疲れが溜まっているから、冷静な判断もしにくいのです。

だからこそ、睡眠をしっかりとって、体を休ませることが大切です。

「水の一白人」は「ナインコード」の中でも、最も試練が多いのが特徴です。ですから、次から次へと自分にとって慣れないことや初めてのこと、難しいと感じることがやってくる一年になるはずです。

その難題に立ち向かうためにも、十分な休養としての「睡眠」は欠かせません。睡眠が少ないと、明日への活力が生まれないのです。

なかなか頭が働かない【陰5年】の時期だから、「何で頑張ってるのにうまくいかないんだ！」と卑屈になったり、意地を張って頑固になってしまったりする人も多くいます。

もし、この時期にそんな気持ちを感じたなら、思い出してください。いま、自分は「水の一白」の部屋にいるということを。そうです。あなたは「水」なのです。「水」はサラッと柔らかく、爽やかです。この「水」の性質を見習うことが大切です。

【陰5年】の時期は多くの試練があり、壁にぶつかることも多いでしょう。しかし、その壁を乗り越えるのに、ひとつの方法に固執するなど、意地（頑固）になってはいけません。何事も柔軟な心で、物事に臨んでください。うまくいかなかったら、その方法は（今年は）ダメなのです。柔軟に切り替えることが大切です。

「ひとつの道だけを考えずに、常に新しい道を模索する」そういった気持ちさえ忘れなければ、物事は好転します。これが、来年の「二黒の部屋」での一年にもつながるのです。

「一白の部屋」での心がけとして、もう一つ大事なこと。それが「メモをとること」です。この部屋に入ったら最低10冊はメモ帳を買いましょう。

「どうしてメモ!?」と思う方もいるかもしれません。しかし、これがとても重要なのです。「一白の部屋」にいるということは、「水の一白」の波動を受けるということ。「水の一白人」によく見られる、性格的に何事もサラッとした傾向が表れがちです。

加えて、【陰5年】のエコノミーモードも影響して、記憶力も低下し、物事を忘れがちです。だからこそ、大切なことを忘れないようにするためにメモが重要なのです。

私自身、この「ナインコード」を知るまでは大変でした。【陰5年】の「一白の部屋」にいるときは、注意はしていても記憶違いをよくしていたものです。特に多かったのが、打ち合せなどアポイントのダブルブッキング。重要なことはそれほど忘れませんが、日常的な打ち合せなどになると、これまでできていた頭の中での日程調整が不思議とうまくいかないのです。その他にもウッカリミスは山ほどありました。(苦笑)

この【陰5年】において、忘れがちになるアポイントや、スケジュール調整ミスによって、状況によっては、人からの信頼をも失うこともあります。次の年からは、イケイケの【陽】の時期に入るというのに、ここで周囲からの信頼を失うのは、あまりにもったいないことです。メモを確実にとり、しっかりとしたスケジュール管理を心がけましょう。

ここで思いついた**ひらめきをメモ**し、来年からの事業やビジネスに生かすのが吉です。

二黒の部屋

「大地の二黒の部屋」（以下、「二黒の部屋」）です。【陽1年】にあたります。

「二黒の部屋」にいるときのあなたに与えられた命題は多々ありますが、特に気をつけてほしいポイントは以下の３つです。

●縁の下の力持ちに徹しましょう！
●目上の人の意見には従うこと！
●見返りを求めずに行動しましょう！

この３つは、「大地の二黒人」の特性です。そして、彼らが自分の人生を好転へと導くために大切にすべきポイントでもあります。「二黒の部屋」にいる人は、この３つだけはしっかり押さえてください。

〝大地の二黒の特性〟を意識した心構えを持って、行動をとること。それこ

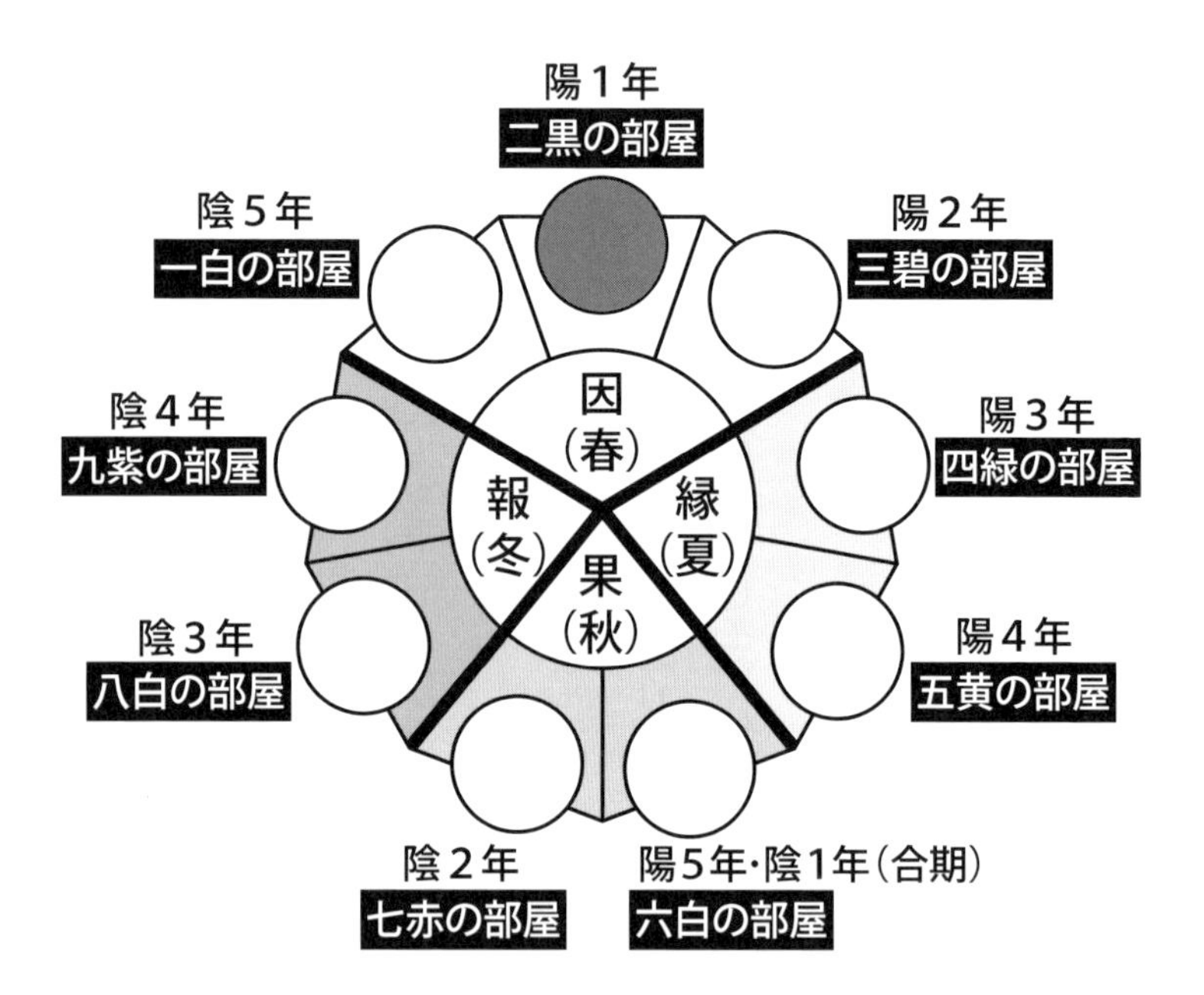
陽１年
二黒の部屋
陽２年
三碧の部屋
陽３年
四緑の部屋
陽４年
五黄の部屋
陽５年・陰１年（合期）
六白の部屋
陰２年
七赤の部屋
陰３年
八白の部屋
陰４年
九紫の部屋
陰５年
一白の部屋
因
（春）
縁
（夏）
果
（秋）
報
（冬）

そが、【陽1年】の一年を、成功へ導くカギとなります。

そして、重要なことがもうひとつ。

もし、あなたがいま「二黒の部屋」にいるならば、可能な限り、「大地の二黒人」と接してみてください。なぜなら、【陽1年】において、あなたがお手本（先生）にすべきは、365日、その特性を磨いている〝大地の二黒人〟だからです。

著名人はもちろん、身近な人でもいいです。「大地の二黒人」が書いた本を読むでもいいですし、講演会を聞きに行くでもいいのです。見習うべき「大地の二黒人」を見つけ、その人の思考や行動を参考にするだけでも、失敗やミスのない、充実した【陽1年】を過ごすための「心構え・行動の指針」としてのヒントが必ずあるはずです。

ぜひ、そのヒントを学び、強運に満ちあふれた最高の【陽1年】を過ごしましょう。そして、「大地の二黒」としての素晴らしき人間性も、この1年で身につけてください。

【陽1年】の「二黒の部屋」にいる人は、何事も『**縁の下の力持ち**』の精神でいることが大切です。【陽1年】のイメージは迎えたばかりの「春」です。ここは物事の始まりの時期です。経営者であれば、新事業を始めるにはもってこいのタイミングです。

ただし、〝**飛ばしすぎ**〟**には注意が必要**です。この【陽1年】にいる人は、まだ冬眠明けの状態です。視界は完全なる良好ではありません。うっすらと進むべき道が見えているだけなのです。

たとえば、新事業を計画したとしましょう。ここで、利益追求に焦って、〝飛ばしすぎ〟てしまうとどうなるか？　進むべき道の全体像が見えていないだけでなく、事業成功のための地固めもできていないのですから、長い目で見て成功するはずがありません。

お客様が企業を選ぶこの時代。最初から利益重視で突き進む事業はもろいものです。一時的な利益は手に入るでしょうが、すぐに（お客さん）に魂胆を見透かされ、事業が軌道に乗ることは難しいでしょう。

だからこそ、この【陽１年】で行うべきことは、新しく始める物事（事業）の「**地固め**」なのです。主義主張を前面に出すのではなく、「あなた（お客様）の生活を支えるために、私は新しく物事（事業）を始めます！」といった気持ちを打ち出していくことが何より大切です。

「**縁の下の力持ち**」精神で周囲と向き合い、これから行うことの根本的な目的やミッションをきちんと伝えていくことが、【陽１年】の時期では必要となります。「縁の下の力持ち」精神に徹することで、〝お客様からの信頼〟をも得られるのです。「二黒の部屋」にいる人は、目上の人の意見には〝素直に従う精神〟が大切です。

「坤（こん）は元（おお）いに亨（とお）る。牝馬の貞（てい）に利（よ）ろし」（『易経』より）という言葉にあるように、牝馬の純情さは、まさに大地の徳の証。

【陽1年】の「二黒の部屋」にいる人は、この『坤（こん）』の精神を大切にしなければなりません。『坤（こん）』は大地の意味。あらゆるものを育て上げます。これは、新しく始める物事（事業）を育成することも含みます。

しかし、植物でも穀物でも、何かを育てるとき、必ず必要なものがありますよね？

そうです。水や天の恵みといった太陽の光です。これらがなければ育ちません。この「水」や「太陽の光」というものは、人間の成長でたとえると、経験を積み、智恵を得た目上の人からのアドバイスや指導です。

新しい物事を始めるにあたっては不慣れなことも多く、迷いが生まれるのも当然でしょう。だからこそ、謙虚に目上の人の意見やアドバイスに素直に従うことが大切なのです。

【陽1年】の「二黒の部屋」にいる人は、とにかく目上の人の意見や話に、いつも以上に耳を傾け、見聞を広めてください。そして、仕入れた情報やアドバイスを素直に取り入れてみてください。そうすることで、物事はスムーズに進んでいくはずです。

この「二黒の部屋」にいる人にとって、一番大切なのが『見返りを求めない』精神です。ここでは、損得勘定で物事を推しはかってはいけません。すべては〝**無償の愛情**〟を持って、未来への投資をしていくことが大切になります。「二黒の部屋」にいる人が見習うべきは「大地の二黒人」。「大地の二黒人」の一番の使命は母なる大地のように、人々にやさしさと愛情を提供することです。これがとにかく大事なのです。

心理学の世界でも**「返報性の法則」**（＝人は何かしらの施しを受けた際に、お返しをしなくてはいけないという感情がわく）というのがありますが、まさに、あなたの与えた愛情が、何らかの形で、数年後、必ず返ってきます。

私もこれまでコンサルティング先で、「二黒の部屋」にいる経営者には、「とにかく、今年は利益を考えるな！奉仕の精神で実行すべきだ！」と言い続けてきました。口を酸っぱくして言い続けた結果、どうなったか？

途中で挫折した社長さんもいましたが、奉仕の精神を守り続けてきた経営者らは、みんな、数年後に多くの顧客をつかみとり、事業の基盤を確固たるものにしています。

もし経営者のあなたが今年「二黒の部屋」にいるなら、まだ遅くはありません！

奉仕の精神を大切に、事業計画を考え直してみてください。

いま、たくさんばらまいた愛の種は、必ず素敵な花を咲かせるのです。

三碧の部屋

「雷の三碧の部屋」(以下、「三碧の部屋」)です。ここは『〝強運を呼ぶ〟9code(ナインコード)占い』においては【陽2年】にあたります。

「三碧の部屋」にいるときのあなたに与えられた命題は多々ありますが、特に気をつけてほしいポイントは3つです。

●やるか? やらないか? 悩んだら実行(行動)すること!

●流行(はやり)を敏感に察知すること!

●ゼロから1を生み出すを常に意識すること!

この3つは、「雷の三碧人」の特性です。そして、彼らが自分の人生を好転

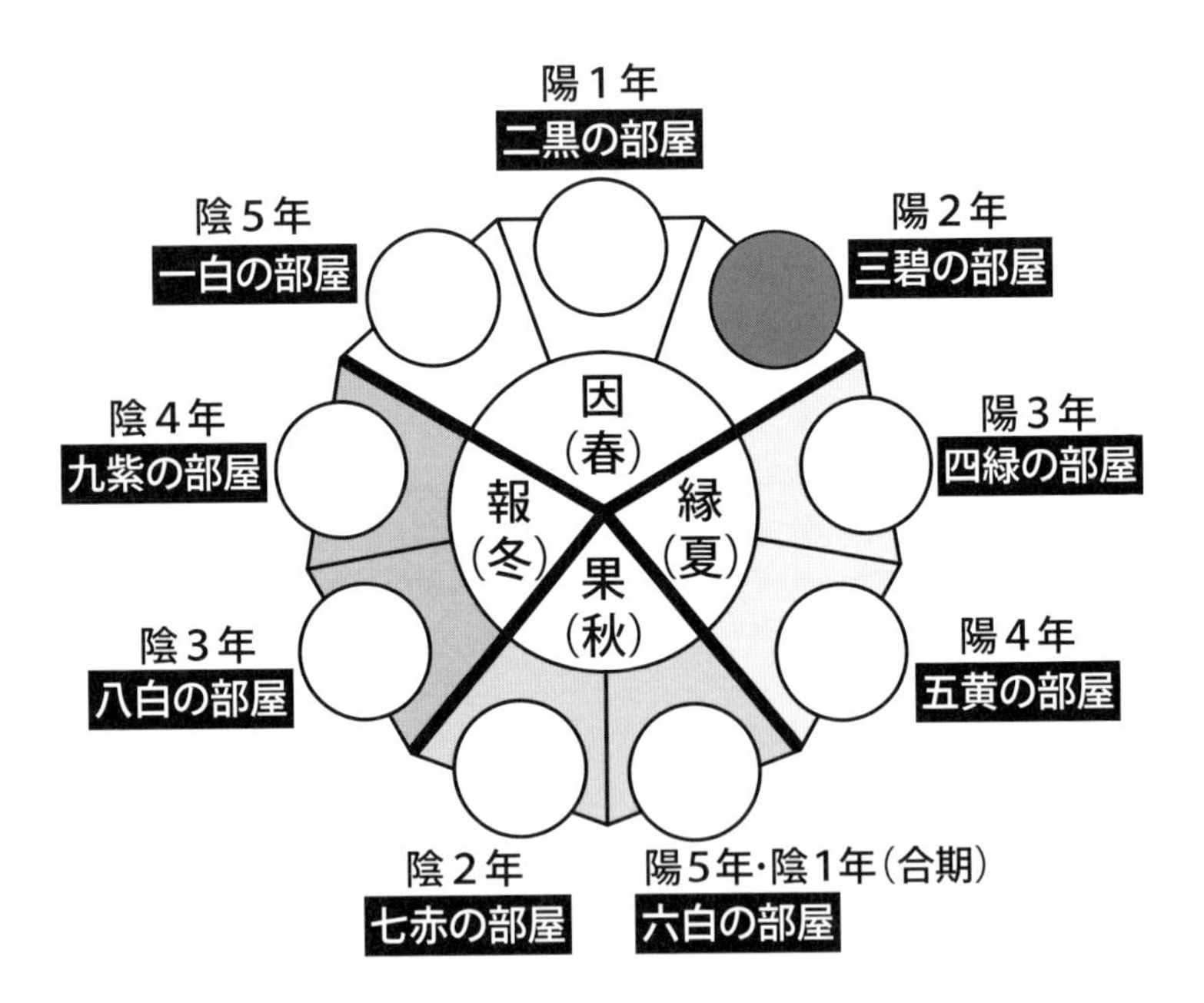
陽１年
二黒の部屋
陽２年
三碧の部屋
陽３年
四緑の部屋
陽４年
五黄の部屋
陽5年・陰1年（合期）
六白の部屋
陰２年
七赤の部屋
陰３年
八白の部屋
陰４年
九紫の部屋
陰５年
一白の部屋
因
（春）
縁
（夏）
果
（秋）
報
（冬）

へと導くために大切にすべきポイントでもあります。「三碧の部屋」にいる人は、この３つだけはしっかり押さえてください。〝雷の三碧の特性〟を意識した心構えを持って、行動をとること。それこそが、【陽２年】の１年を、成功へと導きます。

そして、もし、あなたがいま「三碧の部屋」にいるならば、可能な限り、「雷の三碧」の人と接してください。なぜなら、【陽３年】において、あなたがお手本（先生）にすべきは、３６５日、その特性を磨いている〝雷の三碧人〟だからです。著名人はもちろん、身近な人でもいいです。「雷の三碧人」が書いた本を読むでもいいですし、講演会を聞きに行くでもいいのです。見習うべき「雷の三碧人」を見つけ、その人の思考や行動を参考にするだけでも、失敗やミスのない、充実した【陽２年】を過ごすための「心構え・行動の指針」としてのヒントが必ずあるはずです。ぜひ、ヒントを学び、強運に満ちあふれた最高の【陽２年】を過ごしましょう。そして、「雷の三碧」としての素晴らしき人間性も、この一年で身につけてください。

【陽2年】の「三碧の部屋」で、決してやってはいけないこと。それが『悩むこと』です。前の年の「二黒の部屋」で物事の始まりとしての下地を育ててきました。ここでは、あなたが思い描いたことを実行する年なのです。「三碧の部屋」の特性は、〝**物事の躍進**〟です。いわば、9年に一度だけしかやってこない、「二黒の部屋」で撒いた種（物事）が躍進する1年なのです。

「二黒の部屋」で、見返りなき愛情をこめた種まきを行ってきた人は、胸の内に、願望としての〝やりたいこと〟〝実現したいこと〟が芽生えていると思います。それはもちろん、利益をきちんと考慮したものでしょう。

ただ、「うまくいくか不安だ・・・」と思う気持ちが邪魔をして、なかなか行動に移せないという人が多いのです。お気持ちはわかります。「二黒の部屋」で積み上げたものを、壊してしまうのかもしれないという不安もあるでしょう。

でも、ここはハッキリ言わせてください。

この【陽２年】、つまり「三碧の部屋」にいるあなたは、いいと思ったことは何でも実行してほしいのです。

なぜ自信を持って言えるのか？　理由は２つあります。一つ目は「三碧の部屋」にいるあなたを強運に導くテーマは、〝**行動力**〟だからです。勇気を持った行動こそが強運をもたらす三碧の波動を受ける一年ですから、あなたが行動を起こすならば、そこには強いエネルギーが生まれます。そのエネルギーにこそ、人は魅了され、心を動かされるのです。

二つ目は、もしあなたが「二黒の部屋」で自分の始めた物事（事業）の目的意識やミッションを無私奉公の精神で伝えていたとして、その物事（事業）がここまで存続できていたとすれば、あなたの気持ちとしての想いは、顧客に必ず伝わっています。

その意思の下での〝行動〟ですから、自信を持っていいのです。すべての人を相手にするのではなく、自分の想いに賛同してくれる顧客（お客様）を大切にする。これも経営の基本です。

この「三碧の部屋」では、あなたは【陽2年】としての上昇気流に乗っているのですから、あとは勇気を持って〝行動〟するだけです。大きな「躍進」はこの1年間にかかっています。悩んでいる暇などないのです。

「三碧の部屋」にいるあなたは、物事（事業）の方向性に悩んだら、いまの流行（はやり）に目を向けてください。「雷の三碧人」だけでなく、「三碧の部屋」にいる人は、流行を敏感に感じ取れる能力に長けています。「流行なんかに惑わされてたまるか！」と反骨精神を持つ人もいると思いますが、流行ひとつで数億円のマーケットも生まれる現代ですからバカにはできません。

別に、すべてを流行縛りで考えろと言っているわけではありません。

これから始めることに、少しだけ流行にちなんだことを当てはめて考えるだけでいいのです。

その時代に適合した〝**魔法のエッセンス**〟が加わり、あなたが始める物事（事業）が活気あるモノに化けます。

今なら、人気ＳＮＳの「インスタグラム」の流行にちなんで、商品づくりを手掛けるならば、どれかひとつの商品に「インスタ映え」（見栄えがいい、オシャレに見える）を狙った商品を狙ってみるなど、方法はいくらでもあるはずです。

「三碧の部屋」にいる人は、流行（はやり）を逐一チェックして、これから始めることに応用できないかを、ぜひ考えてみてください。時流に乗るカギは、流行を理解しているかどうかです「ゼロから1を作る」。これが「三碧の部屋」いる人が大切にしなければいけないことです。

これは、〝**新しいものを生み出す**〟ということであります。何事に挑戦するにも、「何か新しいエッセンスを取り入れられないか？」を常に意識することが重要となります。三碧の波動を受ける【陽2年】では、インスピレーションが働きやすい1年でもあります。アイデアがわいたら、それを実践する気構えを持つことが成功への近道です。

そして創作物を考えるうえで大切なのが、自己満足にならずに、**世のため人のための精神**でモノづくり・サービスづくりをしていくことです。それはなぜでしょうか？

そのワケは、三碧の部屋で生まれるアイデアやひらめきは、正義感も入り混じった〝**人のため**〟という概念が入ることで、輝きを増し、社会から受け入れられるからです。

「雷の三碧」の代表として、あの幕末の志士〝坂本龍馬〟がいます。日本の未来を憂い、雄弁な言葉で周囲に刺激を与えながら倒幕を実現に導いた人物です。彼は、ひらめいたのです。国を守り救うためには、「脱藩」しかないと。脱藩は、当時ではありえない大胆すぎる決断です。彼の〝人〈国〉のため〟という正義感が脱藩を決意させたのでしょう。また、龍馬の名言である、「日本を今一度洗濯し候（そうろう）」にもあるように、既成概念を一度ゼロにして、新秩序としてのイチ（１）を作ろうという意味で「洗濯」を用いたのも、「雷の三碧」ならではといえましょう。

風の四緑の部屋

「風の四緑の部屋」(以下、「四緑の部屋」)です。【陽3年】にあたります。「四緑の部屋」にいるときのあなたに与えられた命題は多々ありますが、特に気をつけてほしいポイントは3つです。

●縁をつなぐキューピットでありましょう!
●幅広い交際を心がけましょう!
●「人・モノ・金・情報」を循環させましょう!

この3つは風の四緑人が磨くべき特性です。そして、彼らが自分の人生を好転へと導くために大切にすべきポイントでもあります。「四緑の部屋」にいる人は、この3つだけはしっかり押さえてください。

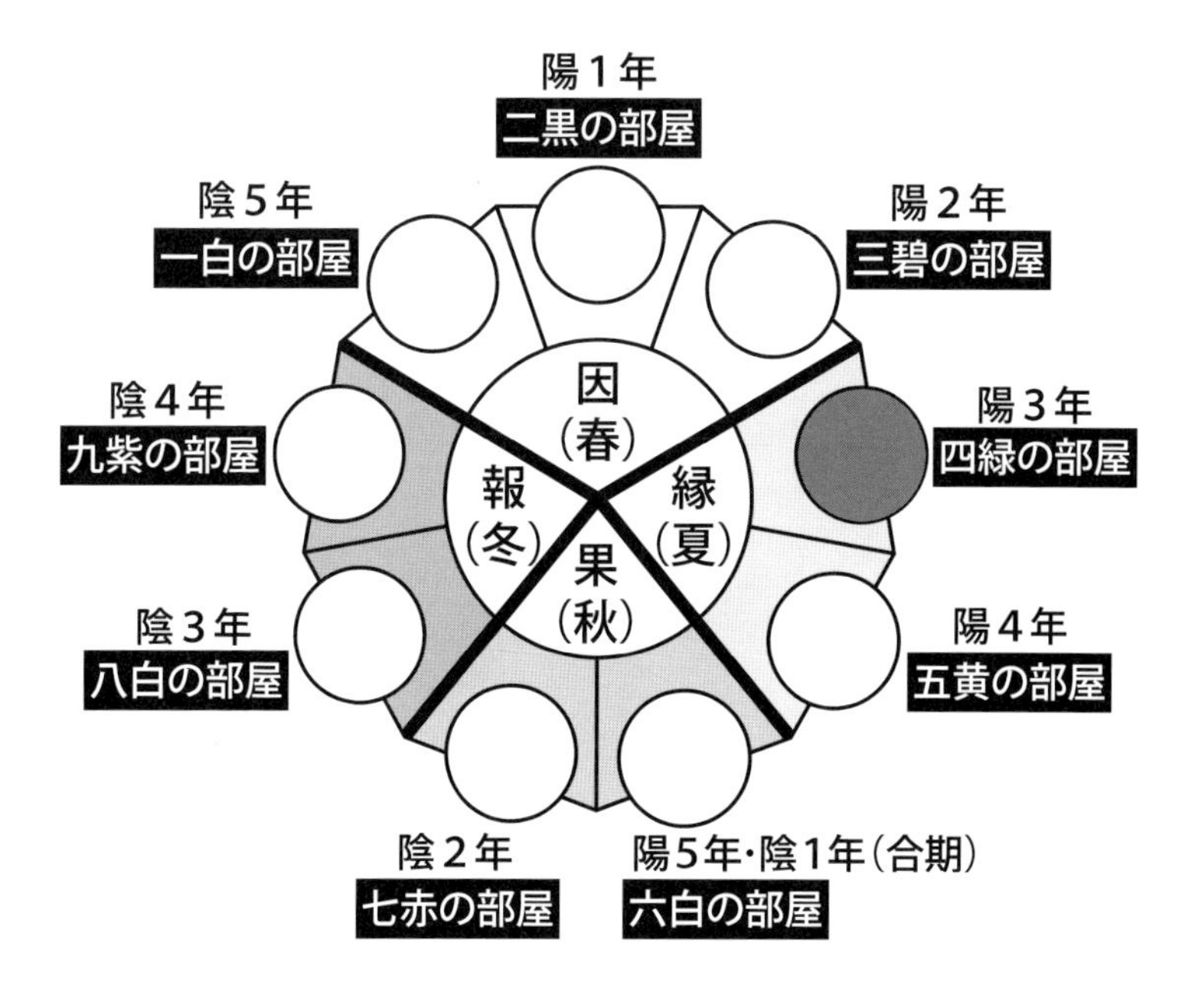
陽1年
二黒の部屋
陰5年
一白の部屋
陽2年
三碧の部屋
陰4年
九紫の部屋
陽3年
四緑の部屋
因
(春)
報
(冬)
縁
(夏)
果
(秋)
陰3年
八白の部屋
陽4年
五黄の部屋
陰2年
七赤の部屋
陽5年・陰1年(合期)
六白の部屋

〝風の四緑の特性〟を意識した心構えを持って、行動をとること。それこそが、【陽3年】の1年を、成功へと導きます。そして、もし、あなたがいま「四緑の部屋」にいるならば、可能な限り、風の四緑の人間と接してください。なぜなら、【陽3年】において、あなたがお手本（先生）にすべきは、365日、その特性を磨いている「風の四緑人」だからです。著名人はもちろん、身近な人でもいいです。「風の四緑人」が書いた本を読むでもいいですし、講演会を聞きに行くでもいいのです。

見習うべき風の四緑を見つけ、その人の思考や行動を参考にするだけでも、失敗やミスのない、充実した【陽3年】を過ごすための「心構え・行動の指針」としてのヒントが必ずあるはずです。ぜひ、そのヒントを学び、強運に満ち溢れた最高の【陽3年】を過ごしましょう。そして、「風の四緑」としての素晴らしき人間性も、この1年で身に着けてください。

【陽3年】の「四緑の部屋」にいる人の大きな使命は、人の縁をつなぐことです。まさに、縁をつなぐキューピット役といったところでしょうか。「二黒の部屋」でまいた種が、「三碧の部屋」で（あなたの行動力によって）新たなカタチとして新芽となりました。次にやるべきことは、その芽を伸ばすための〝水やり〟です。この〝水やり〟という行為。あなたは何をイメージしますか？

たとえば、あなたが新事業を開始したとします。一定の顧客と信頼関係も深められ、画期的なサービスもひらめき、実行へと移す段階にきました。さて、次にあなたが、売上を向上させるために行うべきことは何でしょうか？

そう！　顧客の数を増やすことです。仕事でもプライベートでも、この「四緑の部屋」にいる年に、あなたが真っ先に考えるべきことは〝人との縁〟をつなぐことなのです。これこそが〝水やり〟という行為なのです。

この年にどれだけ〝人との縁〟をつないだか。それが人生の分かれ道となります。経営者ならば、数年後の売上に大きく響いてくるでしょう。「四緑の部屋」にいるということは、「風の四緑」に課せられたテーマに沿った思考と動きこそが、【陽3年】の1年を充実したものにし、あなたの強運を後押しすることになります。

「風の四緑」最大のテーマは、人と人との縁をつないでいくことですから、この部屋（風の四緑）にいる人は、もし自分の行動に迷いが生じた場合、どうやったら『人と人を結びつけられるか？』『人との関わりを強化できるか？』『お客さんとのつながりを増やせるか？』を第一に考えてみてください。この年でつないだ〝人との縁〟は、翌年以降に、様々な形であなたの目の前にやってきます。ビジネスであれば、これが顧客創造につながり、売上に直結するのです。

この部屋（四緑の部屋）にいる人は、普段はあまり接しないような人とも積極的な交流を心がけてください。幅広い交流こそが、【陽３年】を充実した一年にします。

特に遠方の人との縁は大切です。「風の四緑人」は、自分が風になったかのように世界中どこまでも流れるように旅することが強運をもたらすカギとなります。ですから、「四緑の部屋」にいる人も、その姿勢を見習うべき「時」なのです。

もしあなたがビジネスにおいて、いずれは海外展開も視野に入れているとすれば、この【陽３年】の「四緑の部屋」にいるときに、その第一歩を踏み出しましょう。現地の情報収集でもいいですし、現地での人脈づくりでもいいのです。遠方（海外）とのつながりの基盤を、この一年でしっかり築き上げましょう。考え方や行動に迷ったら、まずは、「遠方（海外）との縁をつなぐ」ことを念頭に置いて、動き出してみることが大切です。

それが、次の年の【陽4年】の強運につながります。「人・モノ・金・情報」そのすべてを循環させることを、「四緑の部屋」にいる人は心がけてください。風はたくさんのものを運び、巻き込んでいきます。

これができるということは、人との交流がさかんである証となります。大事なポイントとしては、循環させる際には〝平等の精神〟を持つことです。私見が入り、偏った方向だけへの循環はいけません。たとえば、お金を寄付するとしても、一団体だけに偏った寄付はやめましょう。

自分で寄付をする団体をいくつか見極め、より多くの人が幸せに、豊かになるためにはどういう寄付のカタチを取るべきかを冷静に考えてみてください。なぜなら、「風の四緑」の特性を生かすには、平等の精神が重要になるからです。

あの本田技研工業の創始者である本田宗一郎も「風の四緑人」。本田宗一郎は「仕事をやっているときは、社長も平社員も平等」と語り、常に人間の平等性を主張し、その精神に則った経営をしてきました。だからこそ、偉大な成功を収めることができたのです。

とにかく、【陽3年】である「四緑の部屋」にいる人は、あなたという〝風〟で、まわりのすべてが幸せに豊かになるように、物事を円滑に循環させることを心がけてみましょう。そうすれば、あなたを見るまわりの目も、きっと変わるはずです

ガイアの五黄の部屋

「ガイアの五黄の部屋」（以下、「五黄の部屋」）です。【陽4年】にあたります。「五黄の部屋」にいるときのあなたに与えられた命題は多々ありますが、特に気をつけてほしいポイントは3つです。

●不屈のパワーで戦い抜きましょう！
●自分の想いをカタチにしましょう！
●「創造と破壊」！　何事もゼロベースで物事を考えよう！

この3つは、「ガイアの五黄人」が磨くべき特性です。そして、五黄人が自分の人生を好転へと導くために大切にすべきポイントでもあります。「五黄の部屋」にいる人は、この3つだけはしっかり押さえてください。

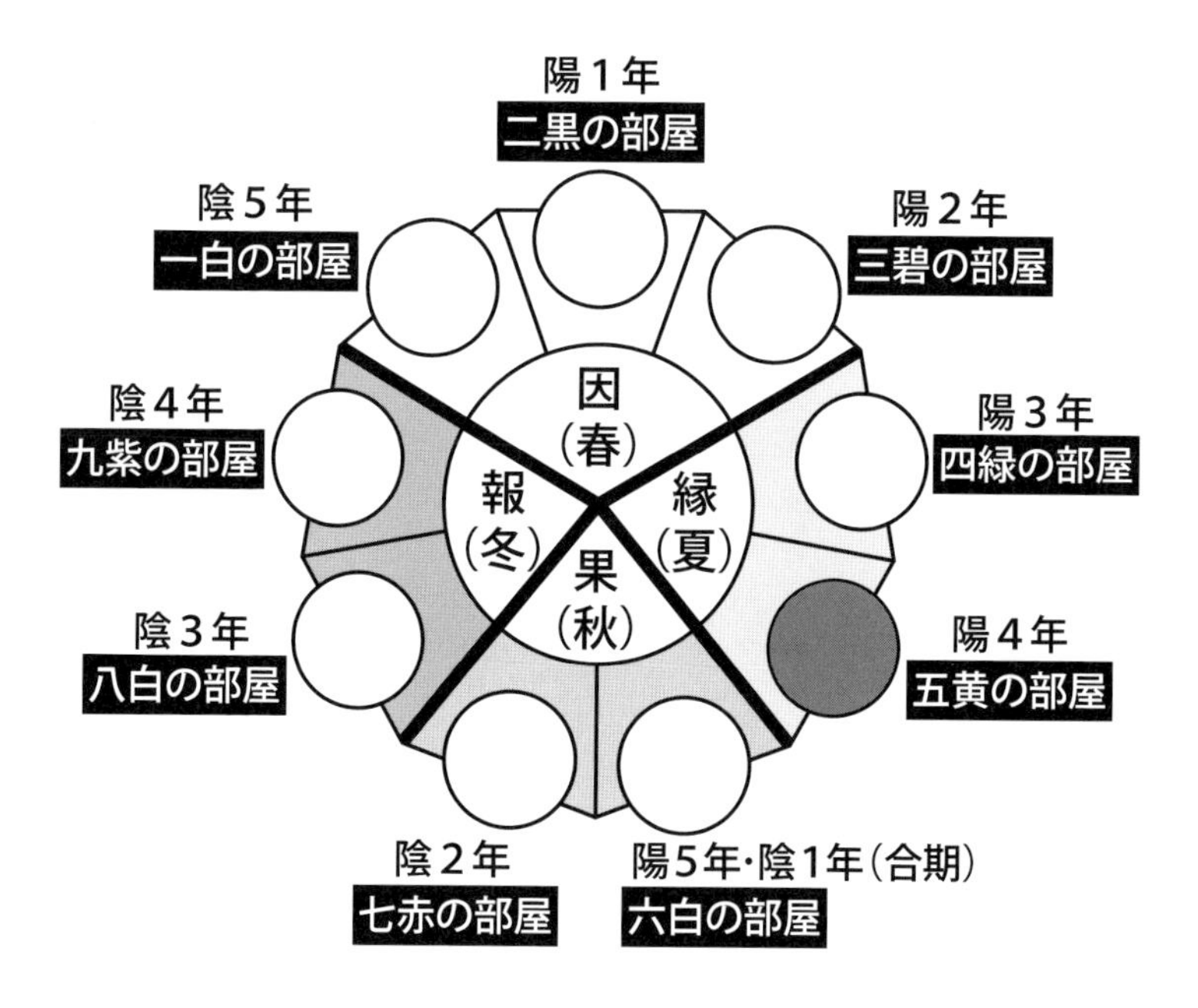
陽1年
二黒の部屋
陽2年
三碧の部屋
陽3年
四緑の部屋
陽4年
五黄の部屋
陽5年・陰1年（合期）
六白の部屋
陰2年
七赤の部屋
陰3年
八白の部屋
陰4年
九紫の部屋
陰5年
一白の部屋
因
（春）
縁
（夏）
果
（秋）
報
（冬）

〝ガイアの五黄の特性〟を意識した心構えを持って、行動をとること。それこそが、【陽4年】の1年を、成功へと導きます。そして、もし、あなたがいま「五黄の部屋」にいるならば、可能な限り、「ガイアの五黄人」と接してください。なぜなら、【陽4年】において、あなたがお手本（先生）にすべきは、365日、その特性を磨いている「ガイアの五黄人」だからです。著名人はもちろん、身近な人でもいいです。「ガイアの五黄人」が書いた本を読むでもいいですし、講演会を聞きに行くでもいいのです。見習うべき「ガイアの五黄人」を見つけ、その人の思考や行動を参考にするだけでも、失敗やミスのない、充実した【陽4年】を過ごすための「心構え・行動の指針」としてのヒントが必ずあるはずです。ぜひ、そのヒントを見つけて、強運に満ちあふれた最高の【陽4年】を過ごしましょう。

また、「ガイアの五黄」としての素晴らしき人間性も、この一年で身につけてください。【陽4年】の「五黄の部屋」にいる人は、いまが9年間の絶頂期です。強力なエネルギーをまとい、不屈のパワーであふれかえっています。

【陰5年】～【陽3年】の4年間を、しっかりとそれぞれの「ナインコード」のテーマに沿っての思考と行動で過ごしてきたならば、（実入りは自分の理想までいっていないにしろ）仕事もプライベートも充実感に満ちあふれ、次々と物事（事業）が成功へと近づいているでしょう。この「五黄の部屋」の一年は、今までやってきたことの〝**総仕上げの時期**〟です。

4年間で築き上げてきたことを、最高の状態に仕上げられるように努力することが大切な一年となります。この一年で失敗しやすいのが、何でもうまくいくからといって、自分の力以上のことまで手を広げてしまうことです。

この年は「五黄の部屋」にいるからこそ、強力なパワーに後押しされてはいますが、無理に自分の能力以上のことをやってしまうと、あなたの心と体はオーバーヒートしてしまいます。車のエンジンを想像してみてください。熱しすぎてオーバーヒートすると、車は走ることができません。これと一緒です。「ガイアの五黄」の強いエネルギーに影響されやすい1年だからこそ、〝やりすぎは禁物〟なのです。

「欲」も生まれやすいこの時期ですが、もし、これからの自分の行動に迷いが出たら、〝**謙虚な姿勢**〟を忘れずに、『これまで積み上げてきたことを、どう最高の状態に仕上げるか？』を一番に考えてください。すべてを一から始めなければいけないようなことは避けてください。あなたが【陽1年】で新しい物事（事業）を始めていたとしたら、「なぜ、それを始めたのか？」「何を実現したかったのか？」を考えてみてください。

自分がもともと持っていた社会に対する想いが消えてしまうと、どういうことになるか？「五黄の部屋」にいる人は、「ガイアの五黄」の波動を受ける年になりますから、「ガイアの五黄」の特性である、すべてのものを引きつける引力のような力があります。すべてを引きつける力というのは、『自分の社会に対する想いがどれぐらい強いか』によって、強弱が決まるからです。

想いが弱ければ、引きつける力も弱々しいものになります。逆に思いが強ければ、引きつける力は強大なものとなり、人もモノも金も情報も、どんどん集まってくるのです。「五黄の部屋」にいるあなたは、今、言葉も行動もエネルギーが強い傾向にあります。だからこそ、自分の想いが人に伝わりやすいのです。

せっかく9年に一度の絶頂期である【陽４年】の「五黄の部屋」にいるのですから、この引きつける力を味方につけない手はありません。

今もその想いを保ち続けていますか？

この【陽４年】の「五黄の部屋」では、その想いを今一度思い出し、形にしていくことが大切になります。ここまでくるのに、【陽1年】のときとは、まわりの状況が大きく変わっているはずです。

その環境の変化から、自らの初心としての想いを忘れがちになり、自分がお金以外の何を目的として物事（事業）をやっているのかわからなくなってしまう人も多いのが、この「五黄の部屋」での特徴なのです。

「五黄の部屋」に入っている人に与えられたテーマで大切なのが、**『創造と破壊』**です。よくないものは壊し、よいものを作り上げるということ。あなたがここまで手塩にかけて育て上げたものが、もし時代にそぐわなかったり、何か不便に感じたりすることがあったら、思い切ってそれを壊してしまうことも【陽4年】の「五黄の部屋」では、ひとつの大切なこととして考えてみてください。

勘違いしてほしくないのが、すべてを壊せと言っているわけではないということです。事業ひとつとっても、経理方法や営業方法などたくさんの仕事があります。そのどれかに、いま、何か不便を感じているのならば、手直しというレベルではなく、一度ゼロベースで新しいやり方を考えてみるということです。ただし、現事業そのものを壊し、新事業をやる考えはオーバーヒートにつながるのでやめましょう。

「五黄の部屋」では、今までやってきたことの総仕上げをすることが理想ですから、無駄や不便といった部分があるならば、この一年の間に見直し、新しく作り変えてしまいましょう。そうすれば、「ガイアの五黄」の強力な運気があなたを後押ししてくれるでしょう。やる時期はもうすぎてしまったのです。

天の六白の部屋

「天の六白の部屋」（以下、「六白の部屋」）【陽5年・陰1年（合期）】にあたります。「六白の部屋」にいるときのあなたに与えられた命題は多々ありますが、特に気をつけてほしいポイントは3つです。

●自分勝手になっていけません！（慢心していませんか？）
●冷静に物事の全体を見渡しましょう！
●明るく前向きな発想をしましょう！

この3つは、「天の六白」が磨くべき特性でもあり、彼らが自分の人生を好転へと導くために大切にすべきポイントです。この部屋（天の六白の部屋）にいる人は、この3つだけはしっかり押さえてください。〝天の六白の特性〟

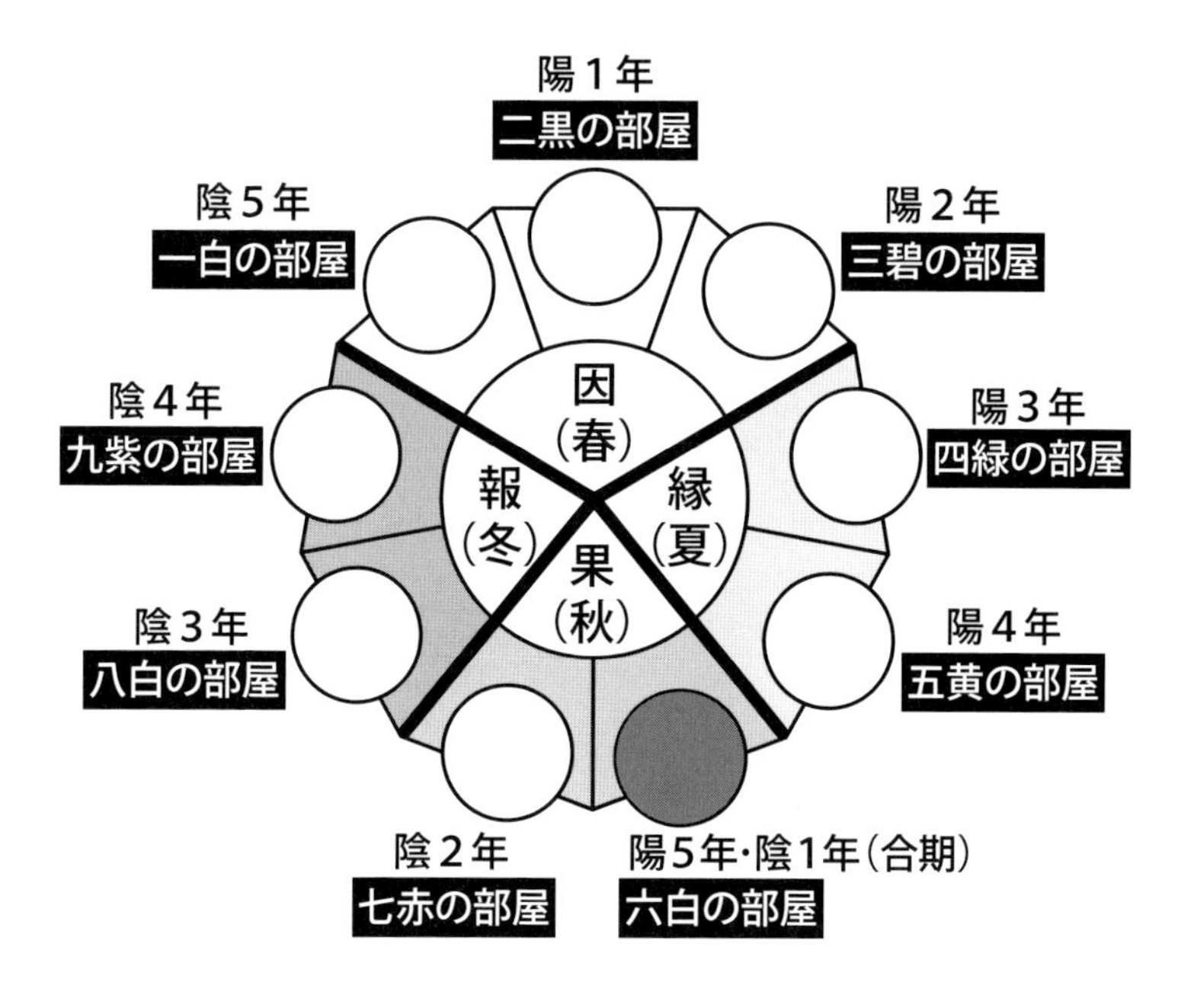
陽１年
二黒の部屋
陽２年
三碧の部屋
陽３年
四緑の部屋
陽４年
五黄の部屋
陽５年・陰１年（合期）
六白の部屋
陰２年
七赤の部屋
陰３年
八白の部屋
陰４年
九紫の部屋
陰５年
一白の部屋
因
（春）
縁
（夏）
果
（秋）
報
（冬）

を意識した心構えを持って、行動をとること。それこそが、【陽5年・陰1年（合期）】の一年を、成功へと導きます。

そして、もし、あなたがいま「六白の部屋」にいるならば、可能な限り、「天の六白人」と接してください。なぜなら、【陽5年・陰1年（合期）】において、あなたがお手本（先生）にすべきは、３６５日、その特性を磨いている「天の六白人」だからです。著名人はもちろん、身近な人でもいいです。「天の六白人」が書いた本を読むでもいいですし、講演会を聞きに行くでもいいのです。見習うべき「天の六白人」を見つけ、その人の思考や行動を参考にするだけでも、失敗やミスのない、充実した【陽5年・陰1年】を過ごすための「心構え・行動の指針」としてのヒントが必ずあるはずです。ぜひ、そのヒントを学び、強運に満ちあふれた、最高の【陽5年・陰1年（合期）】を過ごしましょう。

そして、「天の六白」としての素晴らしい人間性も、この一年で身につけてください。【陽5年・陰1年】の「六白の部屋」で重要なのは、いかに冷静にまわりを見ることができているかです。

この年からは、ただがむしゃらに勢いに乗ってやればよいというわけではありません。前の年はエネルギー盛んな「五黄の部屋」にいたのですから、火照った体と心を少し冷却する必要があります。だてに、【陰】の要素が「六白の部屋」からあるわけではないのです。

前年の「五黄の部屋」では物事（事業）の総仕上げの時期でした。では、今年の「六白の部屋」では、総仕上げしたものが、現在、どう転がっているか？どう機能しているか？　周囲からどう思われているか？　それらを自分の主観だけではなく、全体を見て、冷静にジャッジメントしてみてください。

湖の七赤の部屋

「湖の七赤の部屋」（以下、「七赤の部屋」）です。【陰2年】にあたります。「七赤の部屋」にいるときのあなたに与えられた命題は多々ありますが、特に気をつけてほしいポイントは3つです。

●とにかく会話を楽しみましょう！
●情報を流すことを第一の使命としましょう！
●人にはいつも以上にやさしくしましょう！

この3つは、「湖の七赤」が磨くべき特性でもあり、彼らが自分の人生を好転へと導くために大切にすべきポイントです。「七赤の部屋」にいる人は、この3つだけはしっかり押さえてください。湖の七赤の特性〟を意識した心構えを持って、行動をとること。それこそが、【陰2年】の一年を、成功へと導

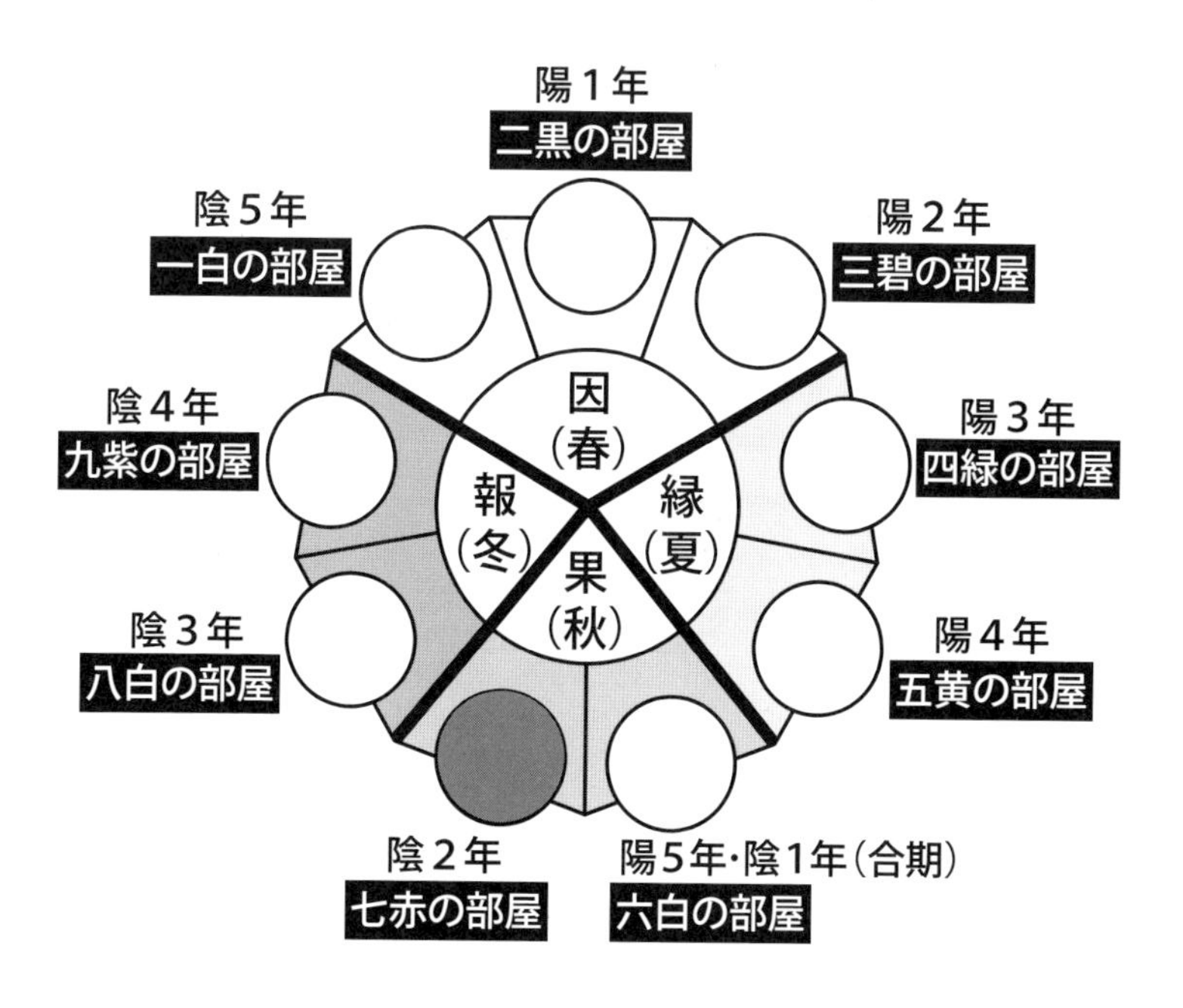
陽1年
二黒の部屋
陽2年
三碧の部屋
陽3年
四緑の部屋
陽4年
五黄の部屋
陽5年・陰1年（合期）
六白の部屋
陰2年
七赤の部屋
陰3年
八白の部屋
陰4年
九紫の部屋
陰5年
一白の部屋
因（春）
縁（夏）
果（秋）
報（冬）

きます。

そして、もし、あなたがいま「湖の七赤の部屋」にいるならば、可能な限り、「湖の七赤人」と接してください。なぜなら、【陰2年】において、あなたがお手本（先生）にすべきは、365日、その特性を磨いている「湖の七赤人」だからです。著名人はもちろん、身近な人でもいいです。「湖の七赤人」が書いた本を読むでもいいですし、講演会を聞きに行くでもいいのです。見習うべき「湖の七赤人」を見つけ、その人の思考や行動を参考にするだけでも、失敗やミスのない、充実した【陰2年】を過ごすための「心構え・行動の指針」としてのヒントが必ずあるはずです。ぜひ、そのヒントを学び、強運に満ちあふれた最高の【陰2年】を過ごしましょう。そして、「湖の七赤」としての素晴らしい人間性も、この一年で身につけてください。

【陰2年】の「七赤の部屋」にいる年は、とにかく会話を楽しみましょう！

「七赤の部屋」にいる人は、「湖の七赤」の波動を受けます。「湖の七赤」のテーマは「兌為澤（だいたく）」です。これはつまり、「口」に関する特性を生かす使命があるということです。とにかくたくさんの人と、会話を楽しむことを心がける。これだけで、強運への道は拓けます。

普段は人の集まりにあまりいかない人でも、この「七赤の部屋」にいる年だけは積極的に集まりに参加しましょう。ここで周囲の人たちを、会話を通じて楽しませることができれば、あなたの人格（人間力）はひと回りもふた回りも磨かれたことになります。ですから、経営者ならば、この年に限っては、大口の顧客に、社長自らが営業をするのも有効な手段です。

９年に一度の、社交性にあふれる会話力を磨く一年です。社長の人柄を周囲に会話コミュニケーションを通じて知ってもらうための時期でもありますので、重要な一年です。

『商品やサービスを売りたいなら、まずは自分の人間性を売れ！』

これが、「七赤の部屋」でのキーポイントです。次の【陽】の時期からの新事業にもこれは必ず活きてきます。会話を楽しんで、社交性を磨く一年であることを忘れず、毎日を過ごしていきましょう。もしかしたら、お手本にすべきはお笑い芸人かもしれません（笑）。

この年、「七赤の部屋」にいる人間がやるべきもうひとつの大事な要素。それが**『すべての流れを作る』**ことです。湖に流れ込む水は、また外へ流されていきます。このイメージのように、「人・モノ・金・情報」を人から人へ伝えていくことが大切です。自分の考え方、自社の商品・サービスなど、どんどん広めていくことを心がけましょう。

「口」＝「会話」で人を楽しませるのが使命だと前述しましたが、『情報を流す』ということになると、手段は「口」だけではありません。ブログやSNS、書籍、雑誌、ポスター、チラシ、芸術作品など、伝える手段はたくさんあります。

山の八白の部屋

「（山の）八白の部屋」です（以下、「八白の部屋」）。【陰３年】にあたります。「八白の部屋」にいるときのあなたに与えられた命題は多々ありますが、特に気をつけてほしいポイントは３つです。

●物事を受け継ぐ（継承）する精神を持ちましょう！

●不動心で、どしっと構えましょう！

●イノベーションの気構えを持ちましょう！

この３つは「山の八白」が磨くべき特性でもあり、彼らが自分の人生を好転へと導くために大切にすべきポイントです。「八白の部屋」にいる人は、この３つだけはしっかり押さえてください。〝山の八白の特性〟を意識した心構

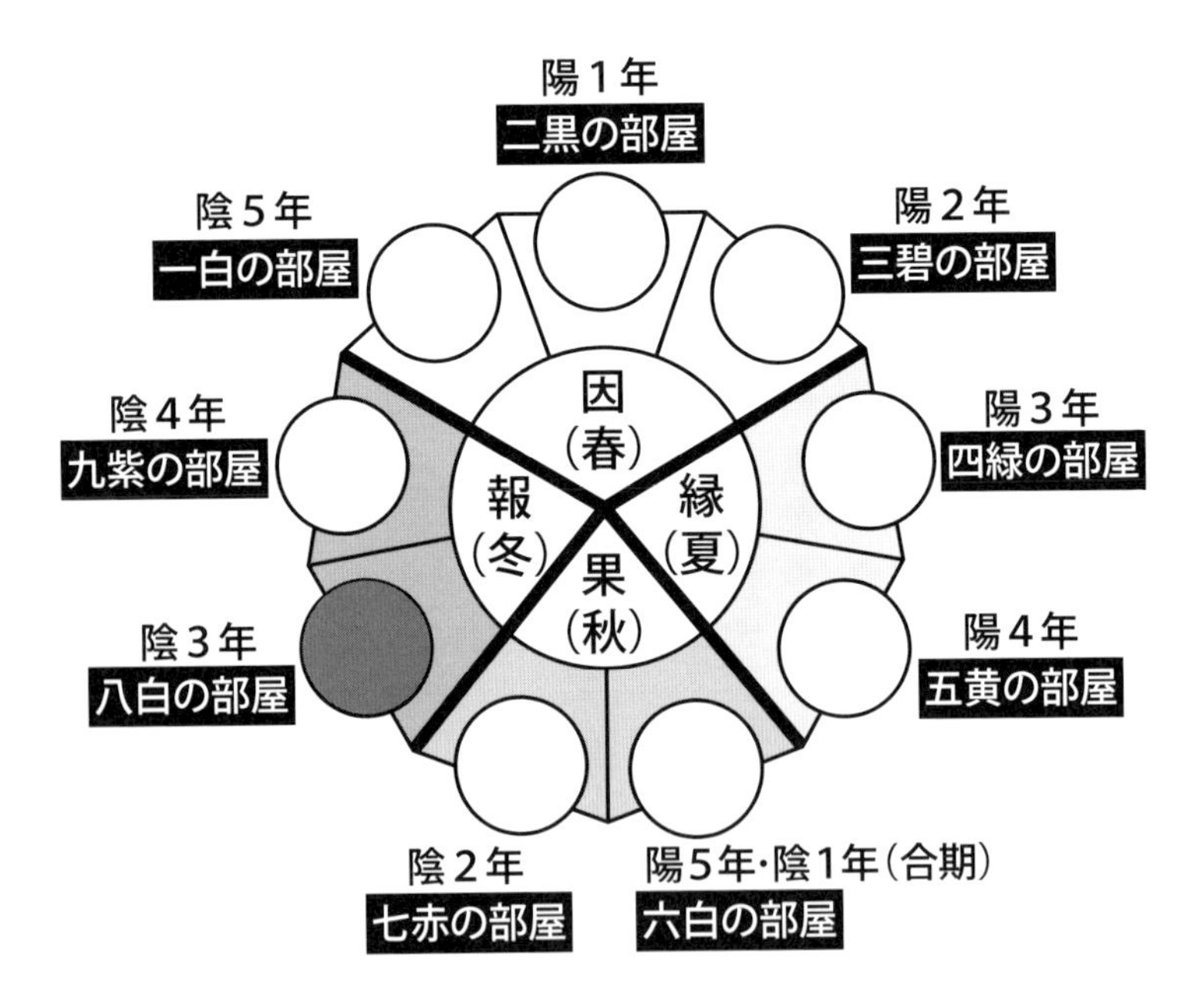
陽1年
二黒の部屋
陰5年
一白の部屋
陽2年
三碧の部屋
因
(春)
陰4年
九紫の部屋
陽3年
四緑の部屋
報
(冬)
縁
(夏)
果
(秋)
陰3年
八白の部屋
陽4年
五黄の部屋
陰2年
七赤の部屋
陽5年·陰1年(合期)
六白の部屋

えを持って、行動をとること。それこそが、【陰3年】の一年を、成功へと導きます。

そして、もし、あなたがいま「八白の部屋」にいるならば、可能な限り、「山の八白人」と接してください。なぜなら、【陰3年】において、あなたがお手本（先生）にすべきは、365日、その特性を磨いている「山の八白人」だからです。著名人はもちろん、身近な人でもいいです。「山の八白人」が書いた本を読むでもいいですし、講演会を聞きに行くでもいいのです。見習うべき「山の八白人」（本書にたくさん掲載しています）を見つけ、その人の思考や行動を参考にするだけでも、失敗やミスのない、充実した【陰3年】を過ごすための「心構え・行動の指針」としてのヒントが必ずあるはずです。ぜひ、そのヒントを学んで、強運に満ち溢れた最高の【陰3年】を過ごしましょう。

そして、「山の八白」としての素晴らしい人間性も、この一年で身につけてください。【陰3年】の「八白の部屋」にいる人のテーマのひとつは「受け継ぐ」精神を持つことです。

社長の二代目候補などが「八白の部屋」にいるとしたら、この一年は継承のチャンスです。この年は、「山の八白」の波動を受けます。

山はいつもどっしり構えているように、「八白の部屋」にいる人も、精神的に安定している傾向が強い時期です。ですから、安定した会社経営のために今何が必要なのかを、冷静に見つめ直すことができるはずです。

そして、「受け継ぐ」は会社に限ったことではありません。家庭も同じです。

実は、「八白の部屋」にいるときは霊感が敏感になるとされています。山にはいくつもの神社・仏閣がありますよね？　山には霊的なパワーが存在するのです。そういった背景からも「八白の部屋」にいるときは、霊的な影響を受けやすいのです。

これは家庭で言えば、ご先祖様にあたります。継承していくという気性からも、ご先祖を敬っていくこと。これが重要になります。「そんなこと直接、ビジネスには関係ないないのでは？」と言いたくなる人もいるとは思います。しかし、この先祖や神様を敬い、信仰する行為は大切です。

松下幸之助は、自分の会社に神社を建て、雨の日も風の日も、祈り続けました。こういった感謝の気持ちを込めた祈りは、無意識に周囲にも伝染し、あなたの人徳を上げます。この「八白の部屋」にいる一年だけは、継承していくという気構えと感謝を、決して忘れないようにしてください。

お墓参りや神社・仏閣への参拝を積極的に行いましょう。この一年は、「不動心」を大切にしてください。新しいことは極力控え、これまで培ってきたことの持続とその延長戦の事柄・ビジネスに集中すべき年です。山は常に不動です。その精神を見習うのです。

この時期は自分のこれまでを振り返る時期でもあります。精神面を大きくして、次の【陽】の時期を迎えられるように〝人間味〟をアップさせるよう心がけましょう。何かビジネスチャンスがあったとしても、いまは【陰3年】です。イケイケの【陽】の時期ではありません。冷静に「今やるべきことなのか？」を判断し、ほぼ間違いなくイケる！　と思ったとき以外は、新しいチャレンジは控えるべきでしょう。

「新しいチャレンジ」については、ひとつ例外があります。もし、あなたが【陰2年】の「七赤の部屋」にいたとき、自分にとっての〝実りの秋〟が迎えられなかったとします。さらには、今の自分の立場や仕事に大きな不満を感じていたとしたら・・・。話は変わってきます。

「八白の部屋」にいる時期は、山の八白の象徴である「山」の存在意義を考える一年です。山は不動にして堂々としていますが、ときに大きな地殻変動を起こします。

そうです。「噴火」です。「八白の部屋」にいるあなたが、何も結果を得られず、現状に大きな不満をいだいているのならば、ここで噴火という名の、強い意志での『革命＝イノベーション』を起こすときなのです。ここで注意してほしいのが、いま順風満帆の人は無理に『革命』を起こす必要はありません。歴史を見ても、意思の伴わない『革命』には誰も賛同しませんよね。それと一緒です。無理なイノベーションはご法度です。

ここで起こした『革命＝イノベーション』は、噴火のごとく、強いエネルギーとなります。来年にくる【陰４年】の「九紫の部屋」での一年にも活きてきますので、大いに奮い立ってください。

周りの人が驚くぐらいのコトをやるのは、「八白の部屋」にいるときがベストです。周囲への感謝の気持ちも忘れなければ、必ず、あなたを後押しして支えてくれる人も現れます。がんばってみてください。

火の九紫の部屋

「(火の）九紫の部屋」（以下、「九紫の部屋」）です。【陰4年】にあたります。「九紫の部屋」にいるときのあなたに与えられた命題は多々ありますが、特に気をつけてほしいポイントは3つです

●芸術など「美意識」を何より大切にしましょう！
●相手を勇気づけることを使命としましょう！
●創作活動に力を入れましょう！

この3つは「火の九紫」が磨くべき特性でもあり、彼らが自分の人生を好転へと導くために大切にすべきポイントです。「九紫の部屋」にいる人は、この3つだけはしっかり押さえてください。〝火の九紫の特性〟を意識した心構えを持って、行動をとること。それこそが、【陰4年】の一年を、成功へと導

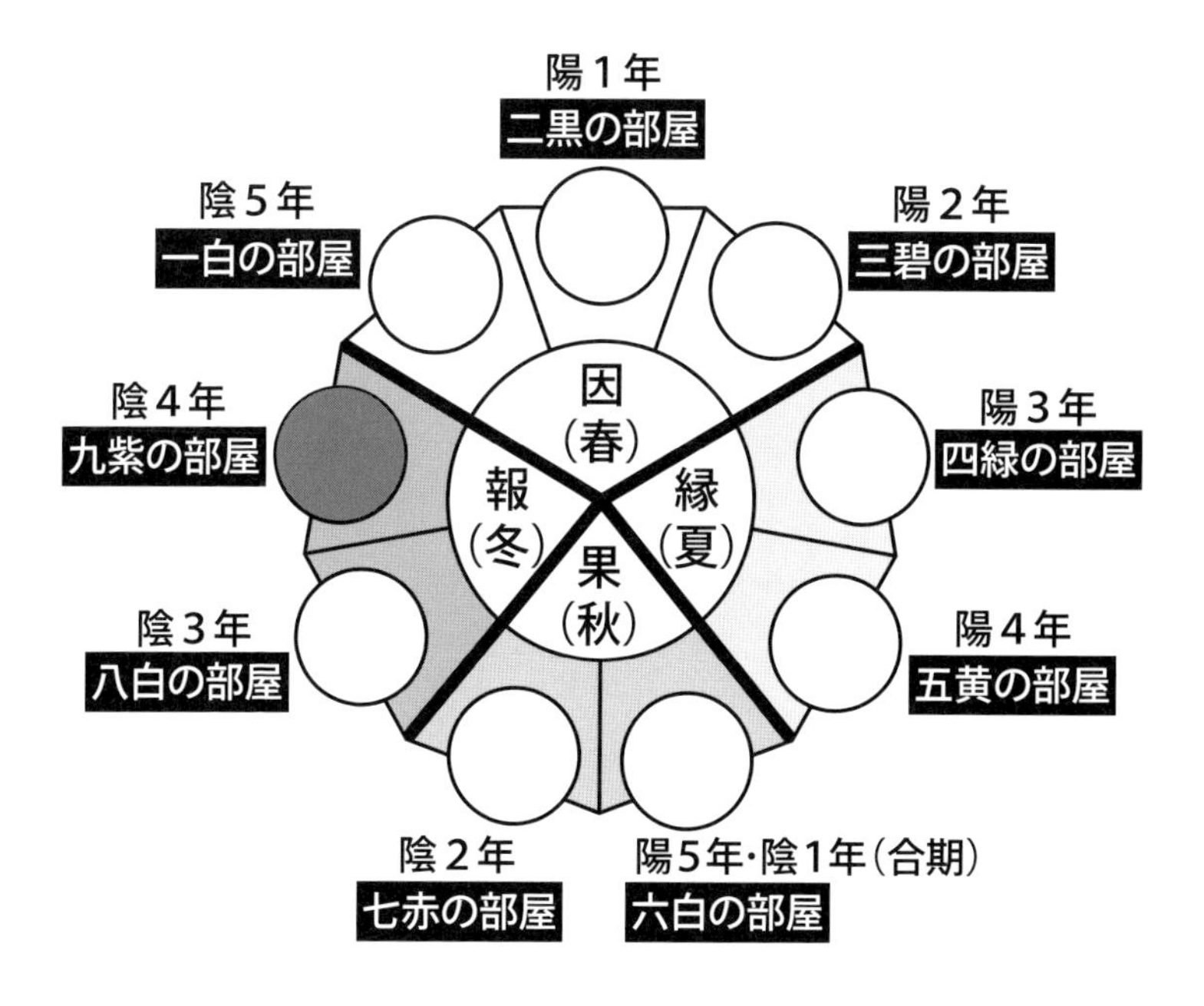
陽1年
二黒の部屋
陽2年
三碧の部屋
陽3年
四緑の部屋
陽4年
五黄の部屋
陽5年·陰1年（合期）
六白の部屋
陰2年
七赤の部屋
陰3年
八白の部屋
陰4年
九紫の部屋
陰5年
一白の部屋
因
（春）
縁
（夏）
果
（秋）
報
（冬）

きます。

そして、もし、あなたがいま「九紫の部屋」にいるならば、可能な限り、「火の九紫人」と接してください。なぜなら、【陰4年】において、あなたがお手本（先生）にすべきは、365日、その特性を磨いている「火の九紫人」だからです。著名人はもちろん、身近な人でもいいです。「火の九紫人」が書いた本を読むでもいいですし、講演会を聞きに行くでもいいのです。見習うべき「火の九紫人」を見つけ、その人の思考や行動を参考にするだけでも、失敗やミスのない、充実した【陰4年】を過ごすための「心構え・行動の指針」としてのヒントが必ずあるはずです。ぜひ、そのヒントを見出し、強運に満ちあふれた最高の【陰4年】を過ごしましょう。

「火の九紫」としての素晴らしい人間性も、この一年で身につけてください。【陰4年】の「九紫の部屋」ではビジネスでもプライベートでも、「美意識」

を大切にすることが大切です。なぜなら、「九紫の部屋」にいる一年は、他の「ナインコード」の部屋よりも、感性がすぐれる年になるからです。「九紫の部屋」は「火の九紫」の波動を受けるため、「火の九紫」の特性でもある〝**美的センス**〟に敏感になります。この美的センスをビジネスにも追及することができれば、周囲の注目を一気に受けるようになります。

ただし、すぐに美的センスが向上するわけではありませんので、この年には普段から美術館などに向かい、美意識を高める訓練をしましょう。そうすることで、感性が磨かれやすくなるのです。もし、あなたが商品を製造販売していたとしたら、今まで考えもしなかった画期的なデザインも生まれる可能性も高いでしょう。どんどん芸術に興味を持ち、**「美意識」**を高め、人々を魅了するデザインを、自身の生活の中に取り入れていきましょう。

「九紫の部屋」にいる人の大事な命題。それは人を勇気づけることです！九紫は「火」を象徴しますが、別にもう一つ「太陽」も象徴します。

太陽はいつも暗闇を明るく照らし、人々に希望をもたらします。それと同じで、この年のあなたは人々に希望という灯を与えることが命題なのです。

まったくの新しいことの種まきは、再来年の【陽1年】の時期にやったほうがいいのですが、今やっているビジネス・事業につながるものであれば、この「九紫の部屋」にいる年にやっても大丈夫です。

その際には、いかに人々（お客様）に**希望**を与えられることができるかを第一に考えて、「九紫の部屋」にいる時期ならではの創造性を発揮していきましょう。

そして、あなたの太陽のような情熱で、まわりの人の心をぽかぽかと温めることもできれば、この部屋での行いは最高です。

春夏秋冬＝因縁果報

さあ、それぞれの「バイオリズム」、「部屋」でやるべきことやってはいけないことがわかりましたか？

人間の【バイオリズム】にも、「春夏秋冬」のサイクルがあることをお話ししましたが、今回は、そのサイクルに付随した、**「因縁果報（いんねんかほう）」**の法則をお伝えしましょう。

※人生での因果の法則を中国哲学では「遁甲（とんこう）」と言います。

これを春・夏・秋・冬の4つのカテゴリに大きく分割し、これに人生の法則の「因・縁・果・報」をあてはめていくのです。すると、「春夏秋冬」と「因縁果報」の間には、以下のような関係性が生まれます。

●春＝因（いん）
●夏＝縁（ねん）
●秋＝果（か）
●冬＝報（ほう）

それぞれの季節で、「因縁果報」の対応するものが異なっているのです。実はこの関係性、詳しく紐解いていくと、とても興味深く、面白いことがわかるのです。

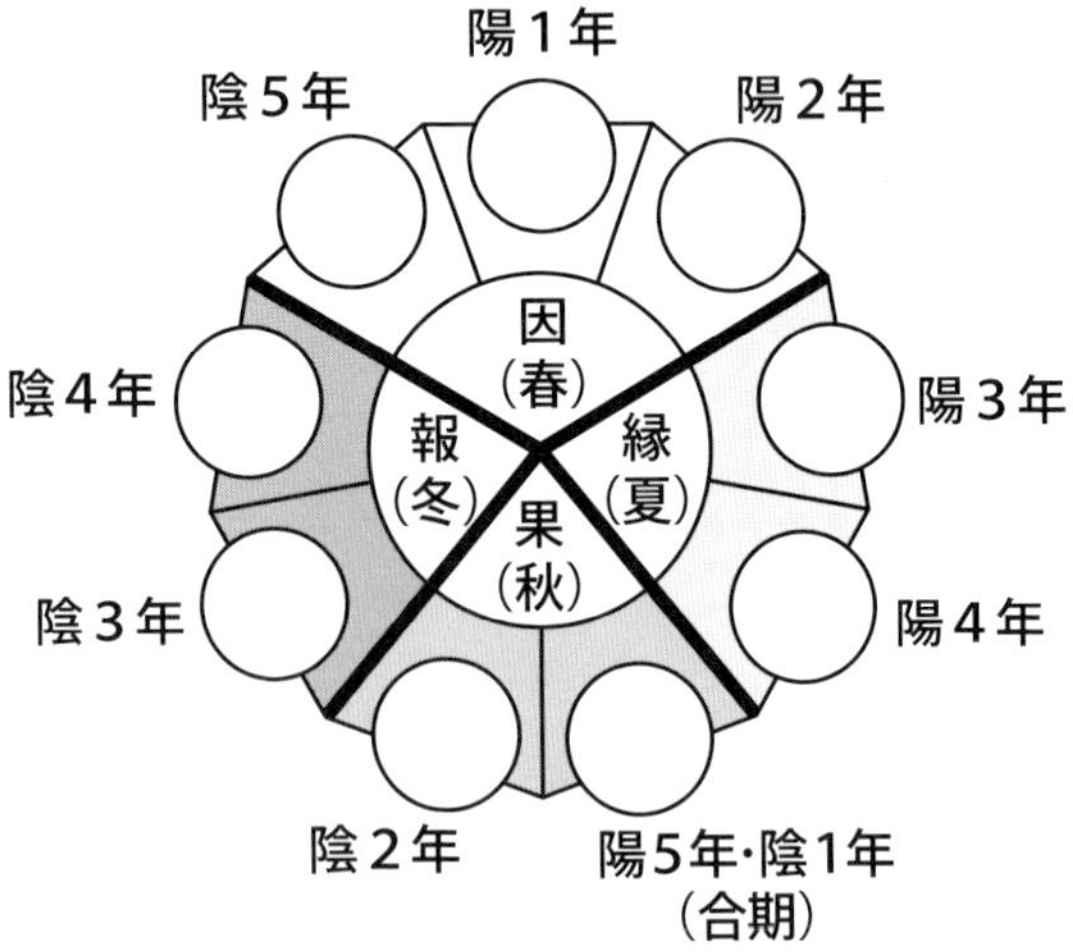

陽１年
陽２年
陽３年
陽４年
陽5年・陰1年
（合期）
陰２年
陰３年
陰４年
陰５年
因
（春）
縁
（夏）
果
（秋）
報
（冬）

「春夏秋冬」

「因縁果報」

どちらも物事が**「変化しながらめぐる」**という意味があります。そして、物事には必ず〝原因と結果〟があるのです。

ひとつ例を出しましょう。たとえば、「コスモス」の花が、いまあなたの目の前に咲いていています。コスモスといえば「秋桜」と書き、品種にもよりますが、夏の終わりから秋にかけて咲く花です。

では、なぜコスモスの花畑は、いま、あなたの目の前に咲いているのでしょうか？　まさか、空から、そのまま花が降ってきたわけではありませんよね？（笑）

そうです。春に種をまき、夏に水と栄養をあげて育てたからこそ、秋の季節になって、花畑に可憐に咲くわけです。〝春の種まき〟という「因」があってこそ、〝夏の育成〟という「縁」が生まれます。それがあって初めて、〝可憐な花が咲く〟という「果」があるのです。

花がひとつ咲くのにも、しっかりと始まりと終わりという区切り、原因と結果という物事の現象のサイクルがあるというわけです。

これが、「春夏秋冬」と「因縁果報」の法則です。わかりやすく「花」でたとえましたが、実はビジネスでも同じです。

●自分の【バイオリズム】が春の時期に、新規事業を始めるための土台を組み立てます（春としての種まき）。

●真夏が近づくにつれ、人脈を作ったり、事業を軌道に乗せるために試行錯誤したりして改善を繰り返します（夏の育成）。

●秋になり、ようやく事業としての結果が出てきます。先行投資した分も戻り、利益も生まれます（秋の収穫）。

●そして、さらなるサービス向上と利益を求めて、足りない部分がなかったか反省をし、来春からの動きを見つめ直します（冬の学び）。

このサイクルがないと、〝事業の成功〟という〝結果〟はありえないのです。それぞれ【バイオリズム】は、春夏秋冬いずれかの季節に属しています。そして当然、四季は必ず移り変わるように、まるで時計が回るように、自分の【バイオリズム】における季節の位置も毎年変わっていくのです。

この「因縁果報」の考え方がすばらしいのは、【バイオリズム】に沿って、成功のプロセスを歩めるだけではありません。いまの自分は、あの時の自分、あの時の協力者、あの時の仲間の助け（励ましの言葉）、その他、さまざまがあったからこそ存在すると、すべてに〝**感謝の気持ち**〟を持つこともできるようになることで、人として成長することもできることに大きな意義があります。

何でもかんでも、当たり前ではありません。すべてはつながっています。誰かが愛情を持って、自分に接しているからこそ、充実して、さびしくない〝いま〟があるのです。私たちの心と体は、９年間で成長を繰り返しています。春だからこそそのチャレンジのとき。夏だからこそその活発化のとき。秋だからこそ得るとき。冬だから体を休めるとき。９年間、このリズムに沿うことがとても大切なのです。

もし、あなたが自分の季節が冬のとき〝はじまりの種〟をまいても、その種は成長しません。種は春にまくからこそ、夏に成長し、秋に収穫できるのです。

【バイオリズム】において、最も人間が活発化している時期を【陽4年】といいます。ここは、夏真っ盛りです。人が開放的になれ、生き生きと毎日を楽しくすごしている時期です。

たとえば、2023年に【陽4年】の位置にいるのは、「風の四緑」です。ですから「風の四緑」のあなたは、仕事でも、プライベートでも、事業でも、自分のやりたいことや夢に向けて〝がむしゃらに動くべき時〟なのです。動けば動くほど、結果が後についてきやすい時期なのです。ここで、ゆっくり休んだり、行動を起こさなかったりすると、それは「時を間違えた」ということになります。ここで頑張ったら、2年後に訪れる収穫の【陰2年】の未来で、多くの財産（人脈・もの・金・資本など）が得られるのに、もったいないですよね。

「時を間違える」と、ミスという失敗の概念だけでなく、本来〝得られるはずだった成功〟を逃してしまうといった、未来のチャンスと希望をも潰してしまうことになるわけです。

同じ【陽４年】にいる人でも、頑張った人、頑張らなかった人。動いた人、動かなかった人。私はこれまで、ジャーナリストとして、千人以上を取材しながら観察してきました。

本当に面白いことに、その〝差〟は、経営者ならば、２年後に数字としてしっかりと表れているのです。

私のクライアントのＳさん（製造業・社長）は、社長自ら全国各地動きまわり、新規開拓に力を入れた結果、年商が３倍になりました。一方で、現状に満足していたのか、何もたいして動かなかったＭさん（飲食店・店長）は、売上が上がるどころか、前年比５％の売上ダウンでした。

２人の能力としてのレベルはほとんど同じように感じていたため、時を生かせたか？　生かせなかったか？　そこがハッキリと明暗を分けた例だと、私は実感しています。

間違った【バイオリズム】の使い方は、失敗を生むだけではありません。近い将来、2倍、3倍と、仕事や事業の成果を向上させる、〝成功へのキップ〟も失うことになるのです。ぜひ、いま自分は、どの【バイオリズム】の位置にいるのか？確認してみてください。

種まきの春なのか？
成長の夏なのか？
収穫の秋なのか？
心身を休める冬なのか？

明るい未来にするためにも、しっかりと把握して、その時期に合った行動をしてください。本書を活用して、人生における失敗（ミス）を激減し、幸せで豊かな未来を創ってほしい。それが、私の願いです。

バイオリズムのポイント

- 【陽１年】～【陰５年】の意味を知る
- 「陰年」はマイナスを意味しない。陽年は「動」、陰年は「静」をイメージする
- 陽年期は自分のエネルギーを社会に向けて使うアウトプット期
- 陰年期は自分の内面を磨くために使うインプット期
- 「春夏秋冬」「因縁果報」のリズムを知る

おわりに

ここまで、「時読み」の最も基本的なことを書いてきましたが、理解は深まりましたでしょうか？

本書でも何度か紹介した、古代の偉人、烈士の言葉。

「**時を得るものは栄え、時を失うものは滅ぶ**」

世界には文明が終わった国がたくさんあります。ギリシャ、ローマ、中国、過去には一時代を築き、豪華絢爛だった文明が脆くも崩壊してしまうことがあります。原因は国同士の戦いや政治など様々ですが、全ての根本は「時」を味方につけられなかったことにあります。

攻める時、守る時。全てはタイミング次第で、その成果が決まります。

もっとわかりやすい例で言うと、２０２０年。新型コロナが流行り、国民は外出ができなくなりました。こんな時に、「さあ、これから飲食店を開こう」「レジャー産業をはじめよう」成功しますか？　ほぼ間違いなく失敗しますよね。極端な例ですが時を味方につける、時を読むとはこういうことです。

もし２０２０年に新型コロナが流行ると事前に知っていたら、国民が外出できない生活が続くと知っていたら、今のあなたが２０１９年にタイムスリップしたらどうしますか？　インドア向けのビジネスをするもよし、動画配信の事業をするもよし、コロナで儲けた企業の株を買い漁るもよし。未来の豊かさを掴むための準備がたくさんできましたよね。

時を味方につければ、未来を先読みすることができます。

そうなれば、不可能と思えるような人生逆転やビッグな挑戦も、わずか数年で成功を手中に収めることができてしまうのです。

２０２０年は「湖の七赤」。「エンタメ動画の一時代がくる！」と知っていたので、２０１９年のうちに会社独自の動画プラットフォームを一千万円かけて準備していました。

これがまさに成功して、２０１９年中は大した利益も出ませんでしたが、２０２０年5月から大ヒット。会社に繁栄をもたらしてくれました。

時を味方につければ、あなたもビッグなビジネスチャンスを掴めるのです。

私は、何度も時読みに救われました。

時を味方につけて、人生を繁栄させるか。
時に逆らって、たった一度の人生を棒に振るか。

どちらをあなたは選びますか？

当然、前者ですよね。

人は裏切っても、時は裏切りません！　笑

あなたも今日から時読みの術を知ってしまいました。未来を読み解く魔術を身につけたのです。もう迷うことはありません。正しい未来予想図を広げて、今こそ、勇気を持ってたくさんのことにチャレンジしてください。

あ、そうそう。バイオリズムも忘れないでくださいね。

【バイオリズム】に関して、一番大きな学びは、私自身が【バイオリズム】を知らずに勢いで勝負した事業で失敗したことがきっかけでした。

これから先、人生を大いに楽しむ方も、事業やビジネスで成功しようとする方も、自分の【バイオリズム】に逆らってチャレンジしても、成功率は高くはありません。

ましてや時期を間違うと、体を壊してしまったり、お金を失ったりすることもあります。これでは、あまりにもったいないのです。【バイオリズム】も、世界最古の『易経』をベースにした人間関係統計学です。参考にしてくださ

いね。

それでは、このあたりで今回は筆を置かせてもらいます。時読みをもっと学びたいと思った方は、２０２３年11月23日の「時読み講座２０２４」に参加してくださいね。会場参加だけでなく動画でも販売していきます。

私が、４時間の熱い講義で、２０２４年に起きる全ての出来事をあなたに教えます。正しい動き方も教えますので安心してください。

あなたの未来が時読みによって、豊かになることを願っています。

中野　博

時

時読み®年表

2023年版
（癸卯四緑年版）

10年に一度　癸（みずのと）年の主なできごと
12年に一度　卯（う）年の主なできごと
60年に一度　癸卯（みずのとう）年の主なできごと
9年に一度　四緑（しろく）年の主なできごと
180年に一度　癸卯四緑年の主なできごと

2023年　10年に一度　癸（みずのと）年の主なできごと

●**593 癸**　聖徳太子推古天皇の摂政となる、四天王寺が建立される
●**673 癸**　大海人皇子が天武天皇となる(前年に壬申の乱。天皇専制支配の確立へ）
●**743 癸**　東大寺大仏造営の詔（聖武天皇の発願、飢饉・疫病など社会不安まん延）。班田永年私財法（私有地認める）
●**1183 癸卯**　源平争乱の年。5月源義仲、倶利伽羅峠に平維盛率いる平氏の大軍を破り、京都へ入る。（倶利伽羅峠の戦い）平氏一門安徳天皇を奉じて西海に逃れる。
●**1663 癸卯四緑**　武家諸法度改正。幕府による文治政治（ぶんちせいじ）の始まり（武断政治からの転換）
●**1743 癸**　イタリアのメッシーナでペストの大流行、4万8000人の死者

●**1783 癸卯**
・6月　アイスランドでラキ火山が噴火。その後数年間ヨーロッパに異常気象をもたらす
・8月3日（天明3年7月6日）－浅間山が噴火。天明の大飢饉の一因となる
・9月3日　イギリスがアメリカ合衆国の独立を承認。**アメリカ独立戦争**（1775年4月～）**終結**

＜アメリカ独立戦争＞
イギリス本国（グレートブリテン王国）と北アメリカ東部沿岸のイギリス領の13植民地との戦争。植民地の住民はイギリスの支配を拒否し、アメリカ合衆国（United States）を政治的独立に導くことに成功した。1776年、アメリカ独立宣言を発して、正式にアメリカ合衆国という国家を形作った。

●1793 癸　1月ルイ16世処刑（フランス革命）。10月フランス王妃マリー・アントワネット処刑
●1823 癸　アメリカ大統領モンローがヨーロッパとの相互不干渉を提唱（モンロー主義）
●1843 **癸卯四緑**　水野忠邦罷免

●1853 癸 7月(嘉永6年6月3日) **ペリー浦賀来航**(黒船来航)

幕末・明治維新の舞台、幕開く

「泰平の眠りをさます上喜撰 たった四杯で夜も眠れず」

「ペリー率いる蒸気船が4隻やって来て、幕府は眠れぬほどの大騒ぎ。」と言う内容の狂歌

<日本の夜明け>

幕府はペリー一行の久里浜への上陸を認め、そこでアメリカ合衆国大統領国書が幕府に渡され、翌1854年に再来航することを伝えに本を去った。なお、日本ではおもに、この事件から明治維新における大政奉還までを「幕末」と呼んでいる。

幕府は朝廷や大名と協議(きょうぎ)し、翌年の 1854 年に日米和親条約を結び、下田と函館を開港した。アメリカはさらに貿易を行なうため、日米修好通商条約を結ぶことを求めて、二港の他に横浜、長崎、新潟、神戸の港を開港させ、幕府に自由貿易を認めさせた。また幕府は同じ条約をオランダ、ロシア、イギリス、フランスとも結んだ。しかしこの条約は日本に不利な内容を含んだ不平等条約で、自由貿易によって日本の経済は大きく変わり、金銀の交換比率がちがっていたことで、大量の金貨や銀貨が流出した。

●1863 癸 1月1日**リンカーン米大統領が奴隷解放宣言**。

南北戦争(1861年から1865年)。

11月南リンカーン米大統領がゲティスバーグ演説

人民の人民による人民のための政治

<エイブラハム・リンカーン>

1961年3月第16代大統領に就任。奴隷制に反対するリンカーンの大統領就任は南部諸州の反発を招き、アメリカ合衆国を二分する南北戦争に結びついた。南軍降伏後の 1865 年 4 月 15 日、アメリカ合衆国首都・ワシントン D.C.にあるフォード劇場において、観劇中にジョン・ウィルクス・ブースの凶弾に倒れた。

<南北戦争の原因=奴隷問題>

北部と南部の経済基盤となる産業の差異と、それにともなう「黒人奴隷解放」の問題が背景にあった。北部諸州は近代工業化を進め、保護貿易による国内産業を優先していた。労働力を欲しており、黒人奴隷の解放が利益になると考えていた。一方の南部諸州は黒人奴隷の労働力に支えられた大規模綿花栽培のプランテーションによって綿花をイギリスに輸出しており、自由貿易を望んでいた。南部としては、黒人奴隷を解放することは経済の基盤を揺るがすことにつながり、許容できるものではなかった。

1861 年 3 月、エイブラハム・リンカーンが第 16 代アメリカ合衆国大統領に就任。彼は黒人奴隷解放を主張していたため、危機感を募らせた南部は、7 州が合衆国を脱退し、ジェファソン・デヴィスを大統領とする「アメリカ連合国」の樹立を宣言。そして 4 月、南部の軍が「サムター要塞」を砲撃することで、南北戦争が始まった。

●1873 癸 9月**米国で恐慌(1873年恐慌)**ニューヨーク証券取引所が10日間閉鎖

●1883 癸 8月インドネシアのクラカタウが大噴火(火砕流・津波による死者36,417名の惨事)

●1893 癸 5月**米国で金融恐慌(1893年恐慌)**

●1903 癸卯 6月でフォード・モーター設立 12月ライト兄弟が人類初の動力飛行に成功

●1923 癸

・9 月**関東大震災発生**

・10 月ウォルト・ディズニー・カンパニー創立。

●1933 癸

・2 月　三陸地方大地震（M8.1、死者 3021 名、不明 43 名、負傷 968 名）

・3 月　ナチス独裁政治が確立。（ナチ党の権力掌握、ナチス・ドイツ成立）

・3 月　日本政府が国際連盟脱退の詔書（昭和天皇）発布

●1953 癸

3 月　衆議院解散（吉田茂首相バカヤロー解散）

4 月　阿蘇山が噴火、5 人死亡

6 月　昭和 28 年西日本水害、集中豪雨で九州地方を中心に 758 名の死者・7 月南紀豪雨（紀州大水害）、集中豪雨で和歌山県を中心に死者・行方不明者 1,046 名・8 月南山城水害、京都府南部を中心に死者 105 名

●1963 年 癸卯

・2 月　インドネシア、バリ島のアグン山の噴火。世界的な気温低下をもたらした

・11 月　**ケネディ大統領暗殺事件**

●1973 癸

・2 月　為替レート・1 ドル=308 円の固定相場制から、変動相場制に移行。スタートは、1 ドル=277 円

・10 月　第四次中東戦争オイルショック・モノ不足・買い占め

●1983 癸

・4 月　千葉県浦安市に東京ディズニーランド開園。

・5 月　日本海中部地震が発生。秋田県を中心に大きな被害

●1993 癸

・1 月　欧州経済共同体（EEC）に加盟する 12 か国による単一市場設置

・3 月　江沢民が中国共産党総書記・国家主席に就任

・7 月　北海道南西沖地震が発生、奥尻島に巨大津波が到達

●2003 癸

・3 月頃から中国で新型肺炎 SARS が大流行。

・8 月アメリカ・カナダで東部を中心に大規模な停電（2003 年北アメリカ大停電、BLACKOUT 2003）。

・8 月フランス全土の記録的な猛暑による死者が 11000 人以上

・9 月イタリアで大規模停電。

●2013 癸

・6 月富士山が世界文化遺産に登録される

・7 月山口県、島根県地方で豪雨。・8 月　北東北や北海道で豪雨。

・8 月　日本国内で 2007 年以来約 6 年ぶりに 40 度超えを観測する猛暑。観測 927 地点中 290 地点で猛暑記録

・8 月　桜島で爆発的噴火

・9 月　台風 18 号が愛知県豊橋市に上陸、気象特別警報運用開始後初の発令

・10 月　台風 24 号から変化した温帯低気圧によるフェーン現象発生、新潟県糸魚川市ほか 927 ある気象観測地点のうち 140 地点で 30 度以上の真夏日を記録、51 地点で 10 月の最高気温を更新

・10 月　台風 26 号東日本付近を通過、交通機関等の乱れで約 170 万人に影響。伊豆大島では記録的豪雨となり死者発生、猪瀬直樹東京都知事が大島町に災害救助法を適用すると発表

2023年　12年に一度　卯（う）年の主なできごと

●607 卯 遣隋使小野妹子派遣。法隆寺建立。
●1159 卯 平治の乱（平清盛が源義朝らを破る。平氏興隆のはじまり）
●1183 癸卯 源平争乱の年。5月源義仲、倶利伽羅峠に平維盛率いる平氏の大軍を破り、京都へ入る。（倶利伽羅峠の戦い）平氏一門安徳天皇を奉じて西海に逃れる。
●1663 癸卯四緑 武家諸法度改正。幕府による文治政治（ぶんちせいじ）の始まり（武断政治からの転換）
●1735 卯 オーストリア・ロシア・トルコ戦争（1735年-1739年）（露土戦争）勃発。
●1771 卯 4月（明和8年3月10日）八重山地震発生、津波により12,000人の死者・行方不明者
●1783 癸卯
・6月アイスランドでラキ火山が噴火。その後数年間ヨーロッパに異常気象をもたらす
・8月（天明3年7月6日）－浅間山が噴火。天明の大飢饉の一因となる
・9月イギリスがアメリカ合衆国の独立を承認。アメリカ独立戦争終結

●1795 卯 10月第三次ポーランド分割、ポーランド国家消滅。
●1819 卯 8月（文政2年6月）北近江を震央とする巨大地震「文政近江地震」発生
●1843 癸卯 水野忠邦罷免
●1855 卯 11月（安政2年10月）安政江戸地震

●1867 卯 大政奉還

日本の政治的大転換

徳川幕府15代将軍・徳川慶喜が、政権を朝廷に返還
旧幕府勢力と薩摩・長州など倒幕派勢力とのせめぎ合い
1868（慶応4）年に、天皇の名で「王政復古（おうせいふっこ）の大号令」
※慶喜の政治主導を阻止しようとクーデター。天皇を中心とする政治体制へ
※もし大政奉還を行わなければ、日本はヨーロッパ諸国に侵略されて植民地になっていた可能性も

●1879 卯 前年からコレラ大流行（罹患138,953名，死者76,597名）
●1891 卯 10月濃尾地震発生（死者7,273名）
●1903 癸卯 6月米国でフォード・モーター設立 12月ライト兄弟が人類初の動力飛行に成功
●1915 卯
大正4年この年の出来事は、前年のサラエボ事件からはじまった第一次世界大戦により、ヨーロッパは戦争一色に。アジアでは、1月に日本が中華民国の袁世凱政権に「対華21か条」を要求。南満州における日本の権益承認を主に、日本と中国（当時は中華民国）との対立が本格化していく

●1927 卯
・1月 東京で流感の「世界かぜ」大流行、患者37万人（マスクや吸入器が売れた）。
・3月 北丹後地震（火災保険会社が北丹後地震に対する保険不払を声明）
・3月 片岡直温蔵相が「東京渡辺銀行が破綻」と失言（昭和金融恐慌の発端）
・3月 東京渡辺銀行が、姉妹行である「あかぢ貯蓄銀行」ともども休業。京浜地方で銀行取り付け騒ぎ
・3月 中井銀行休業（合併・買収など曲折を経て、現 みずほ銀行となっている）
・3月 日本銀行が市中銀行に対して非常貸出しを実施
・3月 村井銀行・中沢銀行・八十四銀行など諸銀行が休業（多くが合併・買収など曲折を経て、現 みずほ銀行となっている）、台湾銀行が鈴木商店に新規貸出し停止命令
・4月 鈴木商店破産、第六十五銀行休業 － 株式相場大暴落。台湾銀行が在台湾店舗を除き全支店休業、近江銀行（合併・買収など曲折を経て、現 みずほ銀行となっている）休業 － 全国に銀行取付け激化。金銭債務支払延期緊急勅令により3週間のモラトリアム実施・銀行は一斉休業

●1939 卯
・1 月 チリで大地震（M8.3、死者約 8 万名）
・4 月 ドイツがドイツ・ポーランド不可侵条約破棄を宣言
・5 月 男鹿半島で地震（M6.6、死者 27 名、全壊 604 戸）
・8 月 独ソ不可侵条約締結
・9 月 **第二次世界大戦勃発**。ナチス・ドイツとスロバキアのポーランド侵攻
・12 月 トルコで大地震（M8.0、死者 33,000 名）

●1951 卯 9 月日本国との平和条約・日本国とアメリカ合衆国との間の安全保障条約締結
●1963 癸卯
・1 月 北陸地方を中心に日本全国豪雪（昭和 38 年 1 月豪雪）。
・2 月 インドネシア、バリ島のアグン山の噴火活動始まる。世界的な気温低下をもたらす
・11 月 **ケネディ大統領テキサス州ダラスで暗殺**される（ケネディ大統領暗殺事件）。

●1975 卯 4 月サイゴン陥落によりベトナム戦争終結
●1987 卯
・4 月 国鉄分割民営化により日本国有鉄道が解散し、分割民営化により JR 発足
・10 月 ニューヨーク株式市場が大暴落**「ブラックマンデー」**。
世界同時株安に陥る
1929 年 10 月 24 日のブラックサーズデー（下落率 12.8%）を上回り、この日はダウ 30 種平均の終値が前週末より 508 ドルも下がり下落率は 22.6%に。この暴落は世界中に波及し、翌日の日本平均株価は戦後最大の下落率 14.9%を記録。

●1999 卯
・1 月 欧州連合に加盟する 11 か国でユーロが通貨として導入
・1 月 コロンビアで M6.2 の地震、死者 1900 人。8 月トルコ西部地震。9 月台湾大地震
・12 月 ロシアのエリツィン大統領が辞任。代行にプーチン首相を指名

●2011 卯
・1 月 宮崎、鹿児島県境の霧島山・新燃岳が、189 年ぶりにマグマ噴火
・1月 鹿児島県、宮崎県、愛知県などの養鶏場で、高病原性鳥インフルエンザの感染確認

・3 月 午後 2 時 46 分頃、**東日本大震災発生。**
マグニチュード 9.0、東北地方を中心に最大震度7という強い揺れと巨大津波
福島第一原子力発電所（東京電力）で原子力事故（メルトダウン発生、建屋爆発）

・7 月 台風 6 号、徳島県に上陸。四国（高知県・魚梁瀬）で過去最多の 1100 ミリ超を観測
・7 月 新潟県・福島県で記録的な大雨が降る（平成 23 年 7 月新潟・福島豪雨）
・8 月 秋元康プロデュースのアイドルグループ乃木坂 46 が発足
・8 月 島田紳助が暴力団関係者との交際を理由に芸能界引退を電撃発表し、即日引退
・8 月 内閣総理大臣・菅直人が退陣記者会見。9 月 2 日野田内閣が発足
・9 月 台風 12 号、高知県上陸。紀伊半島に大規模な土砂災害発生。「紀伊半島豪雨・紀伊半島大水害」と呼ばれる
・9 月 台風 15 号、東海地方を中心とした日本各地で多大な影響を及ぼす

2023年　60年に一度　癸卯(みずのとう)年の主なできごと

●1543　**癸卯**　種子島にポルトガル人漂着、鉄砲伝来(年代については諸説あり)
●1603　**癸卯**　徳川家康が征夷大将軍となり「江戸幕府」開く

戦国時代終焉・日本の大変革

2023年は家康ブームになる？
※大河ドラマは「どうする家康」(主役・松本潤)

●1663　**癸卯四緑**
・8月(寛文3年7月)有珠山噴火
・　武家諸法度改正。幕府による文治政治(ぶんちせいじ)の始まり(武断政治からの転換)

●1723　**癸卯**　徳川吉宗　享保の改革(途中)。足高(あしだか)の制を定め人材登用をはかる
※足高(あしだか)の制＝江戸時代の役職は石高により決まり、優秀でも石高が低いと上の役職に就けなかったので、石高を足して役職と石高の釣り合いをとり、石高の低い役人を登用する制度。ただ足した石高は当人が役職に就いている間に貰えるものであり、役職を退いたら元の石高に戻る。

●1783　**癸卯**
・6月アイスランドでラキ火山が噴火。その後数年間ヨーロッパに異常気象をもたらす
・8月(天明3年7月)　浅間山が噴火。天明の大飢饉の一因となる
・9月　イギリスがアメリカ合衆国の独立を承認。アメリカ独立戦争終結(1775年～17833年)

●1843　**癸卯四緑**　水野忠邦罷免。天保の改革の失敗
<天保の改革の主な内容>
1)ぜいたくの禁止・倹約・風俗の取り締まり＝庶民の不満蓄積
2)株仲間の解散＝閉鎖的な問屋制度にメスを入れ物価抑制を目指したが、
既存の流通システムが機能しなくなりかえって物価高になった
3)人返し令＝天保の飢饉のため、田畑を捨てて江戸に流れ込んだ農民らを
強制的にもとの故郷に追い返した。今の時代でいう難民受け入れ拒否
4)上知令(あげちれい／じょうちれい))＝江戸の周辺十里四方(現在の東京23区の3倍近い面積)の内側にある大名・旗本の土地すべてを幕府が取り上げ、その代わりに別のところにある幕府の領地を与えるというもの。大名や旗本たちは大反対した(等価交換ではないため、大名側からすれば土地から得る収益が減るので大反対)

●1903　**癸卯**　6月　米国フォード・モーター設立　12月ライト兄弟人類初の動力飛行に成功
●1963　**癸卯**
・1月　北陸地方を中心に日本全国豪雪(昭和38年1月豪雪)
・1月　フジテレビ系で日本国産連続30分テレビアニメ第1号『鉄腕アトム』放映開始
・2月　インドネシア、バリ島アグン山の噴火活動。世界的な気温低下をもたらす
・11月　**ケネディ大統領テキサス州ダラスで暗殺**される(ケネディ大統領暗殺事件)。
※日本では初の日米間の衛星中継実験に成功(その映像がケネディ大統領暗殺事件を伝えるものだった)

2023 年　9 年に一度　四緑(しろく)年の主なできごと

●1663　**癸卯四緑**　武家諸法度改正。幕府による文治政治(ぶんちせいじ)の始まり(武断政治からの転換)
●1735　**卯四緑**　オーストリア・ロシア・トルコ戦争 (1735 年-1739 年)(露土戦争)勃発
●1744　**四緑**　9 月「延享の御造営」。出雲大社の現在の本殿が完成
●1753　**癸四緑**　大英博物館創立
●1771　**卯四緑**　4 月　明和 8 年八重山地震発生、津波により 12,000 人の死者・行方不明者
●1780　**四緑**　アメリカ独立戦中(1775 年 4 月 19 日～1783 年 9 月 3 日)
●1789　**四緑**
・4 月　ジョージ・ワシントンが初代アメリカ合衆国大統領に就任
・7 月　フランス革命始まる。※1789 年 7 月 14 日から 1795 年 8 月 22 日にかけて起きた市民革命。パリ民衆のバスティーユ襲撃。封建的特権の廃止、人権宣言、王政廃止、憲法制定などを実現、共和政を実現した
●1798　**四緑**　・本居宣長『古事記伝』完成　・近藤重蔵が択捉島に「大日本恵土呂府」の標柱を立てる。
●1807　**卯四緑**　・西蝦夷地を幕府直轄化、全蝦夷地が直轄化される。箱館奉行を廃止し松前奉行を置く
●1816　**四緑**　・前年にタンボラ火山(インドネシア)が噴火した影響で寒冷化。「夏のない年」といわれる。
●1825　**四緑**　・8 月　ボリビアがスペインから独立　・12 月　文政の異国船打払令。
●1834　**四緑**　天保 5 年米価が上がったため各地で一揆や打ちこわしが起こる。水野忠邦が老中になる
●1843　**癸卯四緑**　水野忠邦罷免
●1852　**四緑**

・フランスに帝政が復活しナポレオンが皇帝になる　※フランス第二帝政(1852 年～1870 年)
ナポレオン・ボナパルトの甥であるルイ＝ナポレオン(ナポレオン 3 世)が 1851 年 12 月 2 日にクーデターによって議会を解散。新たな憲法を制定した上で国民投票によってフランス皇帝に即位したナポレオン 3 世は、メキシコ出兵失敗の名誉挽回のため、1870 年にプロイセンに宣戦したが(普仏戦争)、セダンの戦いで惨敗し、自らがプロイセン軍に捕えられ退位へと追い込まれ、第二帝政の時代は終わった。

●1861　**四緑**　アメリカ南北戦争始まる。アメリカ南北戦争は、１８６１年４月１２日、米サウスカロライナ州のサムター要塞(ようさい)への砲撃を皮切りに始まった米国を南北に分断した内戦。 ６５年４月南軍最後の部隊が降伏

●1870　**四緑**
・3 月(明治 3 年 2 月)　横浜・新橋間の鉄道着工(1872 年開業)
・7 月　普仏戦争: フランスがプロイセン王国に宣戦布告。9 月セダンの戦いプロイセン王国完勝。フランス皇帝ナポレオン 3 世が捕虜となる。**ナポレオン 3 世を廃位しフランス第三共和政成立**

●1879　**卯四緑**　9 月　昨年 10 月以来日本で猛威をふるうコレラの被害発表(罹患 138,953 名, 死者 76,597 名)
●1888　**四緑**　7 月磐梯山が千年ぶりに噴火し山体崩壊(発生した泥流などにより 461 名が犠牲)
●1897　**四緑**　5 月　カナダで日本人・中国人排斥法案が可決。鉄道工事に両国人の労働者を使うことを禁じた
●1906　**四緑**　1 月　コロンビア沖で大地震　4 月サンフランシスコ地震　3 月伊藤博文韓国統監府の初代統監に
●1915　**卯四緑**　大正 4 年この年は、前年のサラエボ事件からはじまった第一次世界大戦により、ヨーロッパは戦争一色に。 アジアでは 1 月に日本が中華民国の袁世凱政権に「対華 21 か条」を要求。 南満州における日本の権益承認を主に、日本と中国(当時は中華民国)との対立が本格化していく
●1924　**四緑**
・5 月　米国で排日条項を含む移民法が成立。日本人の移民が全面禁止される(排日移民法)
・7 月　阪神甲子園球場が竣工。日本初の大規模多目的野球場。甲子の年
●1933　**癸四緑**
・1 月　ヒトラーが独首相に、国民社会主義ドイツ労働者党(ナチ党)が政権獲得。3 月独国会で全権委任法が可決され、ナチス独裁政治が確立。(ナチ党の権力掌握、ナチス・ドイツ成立)
・1月　国際連盟が日本軍の満洲撤退勧告案を 42 対 1 で可決。松岡代表退場。3 月国際連盟脱退
・3 月　三陸地方大地震(M8.1、死者 3021 名、不明 43 名、負傷 968 名)
・3 月　フランクリン・ルーズベルトが第 32 代米大統領に就任。ニューディール政策始動
・4 月　米国で金本位制停止
・10 月　アインシュタインが米国に亡命
・11 月　蚕糸恐慌。生糸暴落し産繭・生糸の輸出統制開始

●1942 **四緑**

第二次大戦分岐点の年

※独・ソ＝スターリングラード攻防戦(ドイツ軍全滅)、日米＝ミッドウェー海戦(日本海軍空母四隻失う)
・1 月 ベルリンで日独伊軍事協定調印(米国西海岸を日本、米国東海岸を独伊の作戦地域と決定) ・2 月 日本軍がシンガポールを陥落 ・3 月 マッカーサーがフィリピンからオーストラリアに脱出 ・6 月 ミッドウェー海戦

●1951 **卯四緑** 9 月日本国とアメリカ合衆国との間で安全保障条約締結

●1960 **四緑**

・4 月 ソニーが世界初のトランジスタテレビを発売
・5 月 M9.5 のチリ地震発生。翌日、日本でも津波で大きな被害
・6 月 19 日 新安保条約が自然成立
・12 月 27 日 **池田首相、所得倍増計画を発表。**

日本の社会は戦後初期の「政治の季節」から**「経済の時代」**へ転換

●1969 **四緑**

・7 月 アポロ 11 号が人類初の有人月面着陸成功
・11 月 佐藤栄作首相がニクソン大統領と会談、日米共同声明を発表。3 年後の沖縄返還合意を取り付ける

●1978 **四緑** 8 月日中平和友好条約調印

●1987 **卯四緑**

・3月 安田火災海上保険(現損害保険ジャパン日本興亜)がゴッホの名作「ひまわり」を約 53 億円で落札
・4 月 国鉄(日本国有鉄道)が分割民営化され JR が発足
・10 月 ニューヨーク株式市場が大暴落(ブラックマンデー)。世界同時株安に

●1996 **四緑** ・12 月 **スティーブ・ジョブズが Apple Computer に復帰**

ジョブズのアップルへの復活は世界を変える新たな一歩となった

1985 年にアップルを追放された後の 11 年後、業績が急速に悪化し始めたアップルに復帰。
ライバルであったはずの米マイクロソフトとの業務提携や資金調達を成功させ、98 年には新生アップルを象徴する iMac の発売にまでこぎ着ける。
初代 iPhone は 2007 年 1 月 9 日に発表、ジョブズは「マックワールド・エキスポ」の基調講演において、iPhone の開発に 2 年半もの年月をかけたと述べ、「今日、Apple は電話を改革する」と宣言。その後 iPhone をはじめとするスマートフォンは日常生活に欠かせない存在になった。

●2005 **四緑**

・3 月 島根県議会で「竹島の日」条例が成立し、韓国の反日感情が高まる。
・3 月 スマトラ島沖地震が発生。地震の規模は M8.7。死者は 1,000 人を超える
・4 月 北京で 1 万人規模の反日デモ。
・4 月 兵庫県尼崎市の福知山線で脱線事故発生。死者 107 名、負傷者 562 名の大惨事
・7 月 ロンドン同時爆破事件が発生。エジプト同時爆破テロが発生。
・8 月 ギリシャで旅客機墜落、121 人死亡。ベネズエラで旅客機墜落、160 人死亡。ペルーで旅客機墜落、40 人死亡
・8 月 ハリケーン「カトリーナ」が米国フロリダ州に上陸。8 月 29 日にはカテゴリ 4 の強さでルイジアナ州ニューオーリンズに再上陸。政府の対応の遅れから、約 1,200 人の死者。原油価格は高騰し、ブッシュ政権の支持率は急落
・9 月 インドネシアで旅客機が離陸して 1 分後に、住宅地に墜落。乗員乗客 100 人と地上の住民 49 人が死亡
・10 月 インドネシア・バリ島で同時爆弾テロが発生。インド・ニューデリーで同時爆弾テロ発生
・10 月 パキスタン北東部でマグニチュード 7.6 の地震発生

●2014 **四緑**

・2月 インドネシア・東ジャワ州のケルート山が噴火。噴煙の高さは約 17km に上り、周辺住民約 20 万人が避難翌日、スラバヤのジュアンダ国際空港など周辺 4 空港が視界不良のため閉鎖
・3 月 ロシアのプーチン大統領がクリミア自治共和国の編入を表明(ロシアによるクリミアの併合)
・4 月 チリ沖を震源とする M8.2 の地震発生。チリでの M8.0 以上の地震は 2010 年 2 月以来 4 年ぶり
・10 月アジアインフラ投資銀行設立の覚書が中国北京で 21 カ国と結ばれる。投資額は 500 億米ドル

2023 年　180 年に一度　癸卯四緑年の主なできごと

●1663　**癸卯四緑**　武家諸法度改正。幕府による文治政治（ぶんちせいじ）の始まり（武断政治からの転換）

武から文へ　幕府の政治的転換

【背景】

初代将軍徳川家康から 3 代将軍徳川家光までの治世は武断（ぶだん）政治とも言われ、江戸幕府の基盤を固める為の時期であった。

幕府に逆らう大名、或いは武家諸法度の法令に違反する大名は、親藩、譜代大名、外様大名の区別なく容赦なく改易、減封の処置を行った。そのため失業した浪人が発生し、治安が悪化。

また、征夷大将軍としての武威を強調するために行われた、大名による参勤交代や手伝普請などは、大名にとって多額の出費になり、そのしわ寄せは百姓の生活苦につながった。そして、1640 年から 1643 年頃におきた寛永の大飢饉の被害が全国規模に及んだことは、武威に依拠した当時の治世の限界を露呈することになった。

【文治政治内容】
寛文 3 年（1663 年）に武家諸法度を改正（寛文令）し、殉死を禁止し、大名からの人質を出す大名証人制度を廃止した。これにより、戦国時代からの遺風を消し、将軍と大名、藩主と家臣の主従関係は個人同士の関係から、主人の家に従者は仕える関係に転換することとなった。また、翌寛文 4 年（1664 年）には寛文印知※を実施し、将軍の地位を確立した。
※寛文印知（かんぶんいんち）＝寛文 4 年 4 月 5 日（1664 年 4 月 30 日）に江戸幕府が日本全国の大名に対して一斉に領知判物※・領知朱印状・領知目録を交付した法律
※領知判物（りょうちはんもつ）＝江戸幕府の各将軍から各藩主に宛てて出された領地を安堵する文書

●1843　**癸卯四緑**　・水野忠邦罷免。天保の改革の失敗

庶民から大名まで
全方位的な反対に合う

＜天保の改革の主な内容＞
1）ぜいたくの禁止・倹約・風俗の取り締まり＝庶民の不満蓄積
2）株仲間の解散＝閉鎖的な問屋制度にメスを入れ物価抑制を目指したが、
既存の流通システムが機能しなくなりかえって物価高になった
3）人返し令＝天保の飢饉のため、田畑を捨てて江戸に流れ込んだ農民らを
強制的にもとの故郷に追い返した。今の時代でいう難民受け入れ拒否
4）上知令（あげちれい／じょうちれい））＝江戸の周辺十里四方（現在の東京23区の3倍近い面積）の内側にある大名・旗本の土地すべてを幕府が取り上げ、その代わりに別のところにある幕府の領地を与えるというもの。大名や旗本たちは大反対した（等価交換ではないため、大名側からすれば土地から得る収益が減るので大反対）

天保の改革は、人々に我慢を強いるだけであったため、誰からの理解も得られず、早期に失敗に終わってしまった。

感謝と御礼

このたびは、中野博の第2回目のクラウドファンディング〈真のメディア　フロンティアを広げたい〉に参加をいただき誠にありがとうございます。

おかげさまで、たくさんの方々から熱いご声援と厚いご支援をいただきましたこと、御礼申し上げます。

中野から感謝を込めて、ご支援をいただいた方々のお名前をここに記し、永久に記録に留めます。

ありがとう！

中野　博

AKARI LUKE KURAISHI　様
田中ちゃん　様
Naoko　様
大坂結唯　様
三宅ゆかり　様
尾崎桂子　様
平野洋一　様
緒方秀行　様
宮城恵子　様
長野伸三　様
坂本正史　様
株式会社ウエヤマ 上山三義　様
西みゆき　様
角田淳　様
奥谷芳輝　様
青山 弘志　様
池野弘　様
池野堅太　様
水野肇　様
清水ひろ美　様

大久保喜世　様
干川広樹　様
伊藤浩光　様
清水敦子　様
蝶たろう　様
大城勇輔　様
幸田直也　様
平塚達也　様
土居皇子　様
中沢けいこ　様
きたがきけいたろう　様
満井健一　様
宇田川長幸　様
falula1212　様
漆崎優子　様
大きく造る　様
田中嘉容子　様
向山加代子　様
生島 正　様

※ここに掲載した方は書籍掲載の許諾をいただいた方のみ掲載しています。

ありがとうございます

Danke schön

Thank you

Gracias

Merci

감사합니다

спасибо

Terima kasih

おーきに

Grazie

谢谢

ขอบคุณ ครับ

شُكْرًا

【中野博プロフィール】

七福神（7 月 29 日）愛知県生まれ
早稲田大学商学部卒業。
ノースウエスタン大学ケロッグ経営大学院ブランディングエグゼグティブコースを修める。ハーバードビジネス経営大学院で経営学を学び、銀座 MBA 大学のヒントを得る。

（株）デンソー（DENSO）にて社会人デビュー。その後、（株）フォーインにて自動車産業の調査研究員（株）住宅産業研究所にて調査研究員を務める。サラリーマン人生は 7 回転職で 7 年間

● 1992 年、国連地球環境サミット（ブラジル）に公式参加し各国首脳に取材。環境ビジネスコンサル会社として 1997 年にエコライフ研究所設立。日本初の環境と経済を両立する事業構築提案を 880 社以上に行う。
● 2003 年、未来予測學問『時読み®』と人間関係統計学『ナインコード ®』を開発し、これらをベースとしての帝王學をリーダーたちに教えるとともに、企業の人材開発コンサルとして 1,000 社以上を指導。
● 2011 年、帝王學を学ぶ「信和義塾大學校」を創設。国内 45 拠点に加え、アメリカ、カナダ、シンガポール、タイなど世界各地に教室を設け「時読み®学」「ナインコード®」などの帝王學を指導。
● 2021 年、未来生活研究所を設立し「中野塾」を主宰しながら投資家倶楽部、時読み倶楽部、各種講座活動を開始。
●現在自らの経験を集大成した自己能力開発「引力の魔術」を提唱。次代を担う人材育成に邁進している。
●投資家として多くのアーティストを支援し続けて NFT アート美術館をネット上に構築（おそらく日本人としては最大のコレクターであり美術館運営者）

日本のメディチ家を作るために 2022 年「投資家倶楽部」を開校。ジャーナリストとして世界の人脈から得た最高峰の投資情報をもとに、140 人の仲間たちとともに投資家としての実践を行う。

チャンネル登録者15万人超え（2023年7月集計）のユーチューバー。ニュースの裏側やジャーナリストとして業界の闇を暴くネタを毎日アップ。ニコニコ生放送にも毎月出演。YouTubeで話せない業界の闇を追求中。

また、独自の情報発信プラットフォーム（未来の風～フロンティア～）も持ち、世界から仕入れた本当の情報を日々発信中。

40冊の著者（7冊が英語、中国語、台湾語、韓国語に翻訳されている)。「引力の魔術」(未来生活研究所)「こんなエコ商品が欲しい！」「エコブランディング」「グリーンオーシャン戦略」（東洋経済新報社）「あなたがきらめくエコ活」「家づくり教科書」「リフォームの教科書」（東京書籍）「強運を呼ぶナインコード占い」（ダイヤモンド社）「成功者はなぜ帝王學を学ぶのか？」「一流の人はなぜ、着物を着こなせるのか？」「人はなぜ、食べるのか？」「シックカー＠新車は化学物質で汚染されている」（現代書林）など40冊がある。
講演実績は4,500回超。メディア出演回数は1,820回を超える。

中野博のYouTubeチャネル【中野博の知的革命2027年】
https://www.youtube.com/channel/UC-6DVb3QQK2_2oso0RqgNWA

中野博のYouTubeチャネル【銀座MBA大学(ビジネスとお金と投資を学べ)】
https://www.youtube.com/channel/UC38aEgQZHOqG7N72uhZ-4tA

中野博のYouTubeチャネル【こども新党チャネル】
https://www.youtube.com/channel/UCyM8Vummzb6R445HtxHinYA

中野浩志のギリギリ崖っぷちトーク炸裂！【ニコニコ動画】
https://ch.nicovideo.jp/nakanohiroshi

中野博の【Instagram】
https://www.instagram.com/nakano_hiroshi59/

禁断の時読み® タイムマシンの使い方講座

2023年11月23日 初版発行

著者 中野 博

発行者 中野 博
発行 未来生活研究所
東京都中央区銀座3-4-1 大倉別館5階
電話（出版部） 048-783-5831

発売 株式会社三省堂書店／創英社
東京都千代田区神田神保町1-1
電話 03-3291-2295

印刷 デジプロ
東京都千代田区神田神保町2-2
電話 03-3511-3001

表紙デザイン 株式会社花咲堂企画・薗 奈津子
イラスト 水見美和子
編集担当 新田茂樹 乳井遼

ISBN978-4-910037-12-7